Ulrich Kellermann
Auferstanden in den Himmel

Stuttgarter Bibelstudien 95

herausgegeben von Herbert Haag,
Rudolf Kilian und Wilhelm Pesch

Ulrich Kellermann

Auferstanden in den Himmel

2 Makkabäer 7 und die Auferstehung der Märtyrer

Verlag Katholisches Bibelwerk
Stuttgart

Meinem Freund
Pater Karl Schneider P.A.
in ökumenischer Verbundenheit

Vorwort

Die Studie über 2 Makk 7 ist aus einer Probevorlesung im Zusammenhang meines Habilitationsverfahrens an der evangelisch-theologischen Fakultät der Westfälischen Wilhelms-Universität Münster i.W. entstanden.

Die Abkürzungen für Reihen und Zeitschriften stimmen überein mit S. Schwertner, Internationales Abkürzungsverzeichnis für Theologie und Grenzgebiete, Berlin-New-York 1974. Der Abdruck des griechischen Textes geht zurück auf W. Kappler – R. Hanhart, Maccabaeorum liber II, Göttingen ²1976.

Herzlichen Dank möchte ich an dieser Stelle Herrn Prof. Hengel, Tübingen, für weiterführende Hinweise und kritische Fragen zum ersten Entwurf dieser Arbeit aussprechen. Den Herausgebern der "Stuttgarter Bibelstudien" danke ich für die freundliche Aufnahme der Untersuchung in die Reihe, Herrn stud. theol. Dieter Beese für das Mitlesen der Korrekturen.

Mülheim a. d. Ruhr, im Oktober 1978

ULRICH KELLERMANN

ISBN 3-460-03951-5
© 1979 Verlag Katholisches Bibelwerk GmbH, Stuttgart
Gesamtherstellung: Georg Riederer, Stuttgart

Inhalt

1 Einführung

Die stärksten Impulse zum Überschreiten der Grenzen und Horizonte des Alten Testaments erhält das Judentum in der Auseinandersetzung mit dem Geist des hellenistischen Zeitalters. In der Epoche zwischen der Entweihung des zweiten Tempels durch jüdisch-hellenistischen Synkretismus 167 v.Chr. und dem Ende des dritten Tempels wie der eigenen Nationalstaatlichkeit 70 n.Chr. entsteht und vergeht die jüdische Apokalyptik, erlebt die messianische Erwartung in ihren vielfältigen Ausprägungen Erneuerung und Fiasko, legt die pharisäische Bewegung die Fundamente für die Tora-Theologie der späteren rabbinischen Epoche, grenzen sich theologische und politische Parteien des Judentums voneinander ab, ohne schon mit dem Makel des Sektierertums behaftet zu sein. In diesem Schmelztiegel theologischen Denkens entdeckt die Frömmigkeit zwischen den Testamenten auch die Hoffnung über den Tod hinaus. Das Überraschende dieser Entdeckung besteht in einer unausgeglichenen Vielfalt der einzelnen Entwürfe. Man kann nicht von einer Theologie der Auferstehung im Frühjudentum sprechen. Der Schritt über die Todesgrenze hinaus, den das Alte Testament hebräischer Sprache nur in Dan 12 und dort allein in Blick auf die Umgekommenen der hellenistischen Wirren[1] gewagt hat, erfolgt von verschiedenen Ansatzpunkten aus. Die Unterschiede in den Entwürfen und in der Artikulation der Hoffnung stehen als Indiz für den Charakter des Auferstehungsglaubens als einer späten theologischen Entdeckung Israels.

Die Hoffnungen[2] sind teilweise auf das Ziel einer endzeitlichen irdi-

---

[1] Dazu vgl. grundlegend *Wied*, Auferstehungsglaube. Das erste sichere Zeugnis für die Auferstehungshoffnung im AT, bei dem die Interpretation einhellig ist, begegnet uns in Dan 12 (um 165/4 v.Chr.). Die übrigen sog. atl Auferstehungstexte Jes 26,7-19; Ez 37,1-14 kennen den Auferstehungsgedanken nur als Bild für die nationale Wiederherstellung Israels. Das Bußlied Hos 6,1-3 benutzt die Krise eines Todkranken als Bild für die nationale Heilswende, dem der Prophet als falscher Erwartung ausdrücklich widerspricht.

[2] Einen guten Überblick über die verschiedenartigen Entwürfe gibt vor allem *Hoffmann*, Die Toten 25-174. *Cavallin*, Life After Death, bleibt leider stark deskriptiv. Bei beiden finden sich weitere Hinweise auf die umfangreiche Literatur zum Thema.

schen Auferstehung der Toten[3] ausgerichtet, wie sie urchristliche Eschatologie auch bezeugt. Wir begegnen daneben „transzendentalen" Entwürfen, die mit der Versetzung des Verstorbenen in den Himmel als den Ort Gottes rechnen.Schon das Alte Testament kennt die auch im Alten Orient und bei den Griechen belegte Vorstellung der Entrückung besonderer Frommer[4]; Henoch und Elia zählen zu ihnen[5]. Das Frühjudentum erweitert den Kreis der auserwählten Gerechten zum Beispiel um Mose, Pinchas, Baruch, Esra und Hiobs Kinder[6]. Möglicherweise hat auch Jesus von Nazareth in einer bestimmten Phase seines Wegs mit seiner Entrückung gerechnet[7]. Man

[3] Auferstehung nur der in den hellenistischen Wirren umgekommenen Märtyrer in aethHen 90,33, vielleicht auch in Dan 12,1-4; nur der Generation dieser Wirren in Dan 12,1-4; nur der Gerechten in TestJud 25; TestSeb 10; Lk 14,14; allgemeine Auferstehung mit doppeltem Ausgang z. B. in aeth Hen 51,1-3; Sib 4,180; TestBenj 10,7f; 4Esd 7,31-35; syrBar 50,2; 51.

[4] Zur Vorstellung der Entrückung vgl. grundlegend G. Haufe, Entrückung und eschatologische Funktion im Spätjudentum: ZRGG 13 (1961) 105-113; Wächter, Tod 193f; G. Friedrich, Die Auferweckung Jesu, eine Tat Gottes oder ein Interpretament der Jünger?: KuD 17 (1971) 153-187; ders. Lk 9,51 und die Entrückungschristologie des Lukas, in: Orientierung an Jesus, FSchr J. Schmid, Freiburg – Basel – Wien 1973, 48-77; bes. A. Schmitt, Entrückung.
Zu den griechisch-römischen Parallelen vgl. u. a. E. Rohde, Psyche. Seelencult und Unsterblichkeitsglaube der Griechen, I.II, Freiburg – Leipzig – Tübingen [2]1898 (Darmstadt 1974) I 68-110.146-199; II 365-378; E. Bickermann, Das leere Grab: ZNW 23 (1924) 281-292; Friedrich, KuD 17, 170-179; ders., Fschr Schmidt 52; G. Lohfink, Die Himmelfahrt Jesu, München 1971, 32-56.

[5] Henoch: Gen 5,24; Sir 44,16; 49,14; Jub 4,17-25; Weish 4,10f.13; Pseudophilo LAB 1,16; Hebr 11,5; Josephus Ant I 85; IX 28; TestIsaak 4,2; 1 Clem IX 3; JustDial XIX 3; ActPil XXV Elia: 2 Kön 2,9-11; Sir 48,9.12; 1 Makk 2,58; aethHen 89,52; 93,8; Josephus Ant IV 326; IX 28; auch Offb 11,11f; ApkEsr 7,6; P^esiq 5b (Bill IV 766); vgl. ferner Bill IV 764-798; ActPil XV 1; XXV.

[6] Mose: Josephus Ant IV 326; auch Offb 11,11f; ferner Sifre Dtn § 357 (149b) zu 34,5; Sota 13b (Bill I 754); vgl. ActPil XVI 7. Pinehas: Pseudophilo LAB 48,1. Baruch: syrBar 46,7; 48,30; 76,2. Esra: 4Esd 14,9.13.49. Hiobs Kinder: TestIjob 39,12. Die Gerechten Israels in der Endzeit: AssMos 10,8-10.

[7] Mk 2,20; Lk 9,51; vgl. dazu Haufe, aaO. 112f; Friedrich, aaO. FSchr Schmid 49-51.

begegnet dem Glauben an die Aufnahme besonderer Gerechter[8] wie auch aller Gerechten[9] nach ihrem Tod in den Himmel. Es wird zwischen dem Paradies[10], sozusagen als positivem Gegenort zur alttestamentlichen Scheol[11], die nun immer mehr sich zur Strafhölle ausbildet[12], und dem Himmel als Ort Gottes unterschieden. Es zeigt sich gleichzeitig eine Tendenz zur Angleichung der beiden Strukturlinien „eschatalogischer" und „transzendentaler" Todesüberwindung, bei der die himmlische Erhöhung des gestorbenen Gerechten und der Scheolaufenthalt des Ungerechten den Zwischenzustand vor der endzeitlichen Auferstehung der Toten zum Gericht ausfüllt. In vielfältiger Weise vereinigen sich diese unterschiedlichen Erwartungen mit der aus dem Hellenismus eindringenden Vorstellung der unsterblichen Seele[13]. Hier hilft in der Regel die Nachwirkung alttestamentlich anthropologischer Vorstellungen, den dichotomischen Dualismus von Leib und Seele[14], wie er im Griechentum begegnet, abzubauen: wie der Odem im Alten Testament[15] kehrt die Seele des Gerechten nach frühjüdischen Zeugnissen im Tode zu Gott zurück. Nur ein Steinchen im Mosaik der Hoffnungen bildet die Erwartung der *Auferstehung der Märtyrer* von 2 Makk 7.

Um seines Auferstehungszeugnisses willen gehört das 2. Makkabäerbuch, das als Teil des griechischen Alten Testaments, der sogenannten Septuaginta, im Gegensatz zum Judentum in der Alten Kirche kanonischen Rang erhielt, zu den *wichtigsten Schriften zwischen den Testamen-*

---

8   *Abel:* AscIs 9,8f; Philo Det 48; *Henoch:* aethHen 70f; AscIs 9,8f u. ö., *die Patriarchen:* TestLev 18,14; 4M 7,19; 13,17 u. ö., auch Mk 12,26; *Mose:* Pseudophilo LAB 32,9; auch Mk 9,4; *Hanna:* LAB 50,7; *Samuel:* LAB 64,5-7.

9   Vgl. z. B. die Bilderreden des aethHen 37-71; Weish 2,17-3,9; PsSal 3,12; 14,2-5; Chag 12b.

10   Vgl. z. B. aethHen 60,23; 70,3; Jub 4,23; 4Esd 7, 36-38; 8,52; Lk 16,19-31; dazu s. *Bousset-Gressmann,* Religion 282-285; *Bietenhard,* himmlische Welt 161-186.

11   So noch z. B. aethHen 22.

12   Vgl. z. B. aethHen 103,7f; TestSeb 10,3; 4Esd; Lk 16,19-31; Offb 20,10.14f; 21,8.

13   Vgl. z. B. Weish und 4M.

14   Vgl. z. B. Jub 23,31.

15   Vgl. Gen 2,7; 6,3.17; 7,15.22; Ez 37,5f.10; Ps 104,29; Ijob 34,14f; Weish 15,11; 16,14; Tob 3,6; 2 Makk 14,46.

ten. Wird hier doch kaum später als in Dan 12 Hoffnung auf leibliche Auferstehung bekundet (2 Makk 7; 14,46), kennt 2 Makk 12,44f die Wirksamkeit des Gebets für Verstorbene, setzt 2 Makk 15,12-16 die Fürbitte besonderer, himmlisch erhöhter Frommer für das Gottesvolk voraus. Wir finden in diesem Buch die ältesten Märtyrerberichte des Judentums (2 Makk 6,18-31; 7), die zum Vorbild für die kirchliche Märtyrerliteratur wurden. Man liest aus 2 Makk 7,28 die erste Erwähnung einer „Schöpfung aus dem Nichts". Schließlich darf nicht übersehen werden, daß 2 Makk 7,37f nach Jes 52,13-53,12 den ältesten und einzigen vorchristlichen Beleg für die Vorstellung des stellvertretenden Straf- und Sühnetods wie für die Sühnkraft des Martyriums im Judentum darstellt[16], der für das urchristliche Verständnis des Todes Je-

---

[16] Mit dem Gedanken der *Stellvertretung im Erleiden der Strafe* steht nach Jes 52,13-53,12 2 Makk 7 zunächst für das Frühjudentum einmalig da. Man könnte höchstens auf den in der Deutung umstrittenen Vers Pseudophilo LAB 32,3 hinweisen. Dort sagt Isaak von seiner Opferung: „Es wird aber meine Seligkeit über alle Menschen sein". Mit dem Motiv der *stellvertretenden Sühne* bilden die ntl Texte die chronologisch nächsten Parallelen zu 2 Makk 7; vgl. dazu *J. Jeremias,* Das Lösegeld für Viele (Mk. 10,45): Jud 3 (1947/8) 249-264, bes. 255, = in: Abba. Studien zur neutestamentlichen Theologie und Zeitgeschichte, Göttingen 1966, 216-229, bes. 221. *Lohse,* Märtyrer 72-78, betont, daß diese Sicht für die rabbinischen Texte der frühen einschließlich der tannaitischen Zeit fehlt; vgl. auch die Diskussion der Thesen *Lohses* bei *K. Wengst,* Christologische Formeln und Lieder des Urchristentums, Gütersloh 1972, 62-75. *J. Jeremias,* Theologie 273f mit Anm. 47, nennt auch nur Sifre Dtn § 333 zu 32,34 als einzigen Beleg für die Sühnkraft des Martyriums in Blick auf andere in der tannaitischen Zeit. Erst in der Zeit der Amoräer begegnet der Gedanke des stellvertretenden Straf- und Sühnetods für das Volk wieder explizit; vgl. *Lohse,* Märtyrer 76f. Auch der *Tod des Gerechten* kann als Sühneleistung verstanden werden; vgl. jSanh 30c,28 (Bill II 279), dazu *Lohse,* Märtyrer 78-86.104-110; *Hengel,* Zeloten 273. In 2 Makk 7 wird der Tod des Märtyrers als *Fürbitte in sühnender Funktion* vorgestellt; vgl. dazu auch Lk 23,34; Apg 7,59; 4 M 1,11; 6,28f; 9,23f; 17,10.21f; 18,4; dazu *Lohse,* Märtyrer 67 mit Anm. 3. Dieses Verständnis des späteren (kultisch orientierten) Sühnetodgedankens entspricht wohl der Vorstellung, daß das Blut der Märtyrer auch eine *klagende Mahnung an Gott um Rache,* d. h. der Bestrafung der Verfolger, darstellt; vgl. bes. aethHen 47,1-4; AssMos 9,7; Offb 6,9-11; das jüd. Gebet Abinu Malkenu („Unser Vater, unser König, gib vor unseren Augen Rache für das Blut deiner Knechte, das vergossen wurde";

su wichtig erscheint. So hat gerade 2 Makk 7 im Zusammenhang des 2. Makkabäerbuches seine besondere Bedeutung für die christliche Theologie gewonnen.

In der jetzigen Form gibt sich 2 Makk als das *Ergebnis eines längeren literarischen Traditionsprozesses* zu erkennen, der in der Forschung durchaus noch nicht einheitlich gesehen wird[17]. Allgemein nimmt man an, daß die beiden einleitenden Briefe des Buches 2 Makk 1,1-9 und 1,10-2,18 zu den jüngsten Ergänzungen gehören. Nach der Einführung 2 Makk 2,19-32 liegt im Hauptbestand von 2 Makk ein überarbeiteter Auszug (Epitome) des fünfteiligen nicht mehr bekannten Geschichtswerks über die Makkabäerkämpfe des Jason von Kyrene vor. Nach den Untersuchungen von *J.G. Bunge*[18], die mit den Erwägungen *M. Hengels*[19] in der Datierungsfrage übereinstimmen, erfolgte die Abfassung des Jasonwerks nach dem Tod des Freiheitskämpfers Judas Makkabäus und vor der Investitur seines Bruders Jonathan als Hohenpriesters zwischen 160-152 v.Chr.. Jason von Kyrene hat seinerseits eine Reihe älterer Quellen, wie zum Beispiel die sogenannte Judas–Vita[20], für seine Arbeit benutzt. Die redigierende Arbeit des Epitomators darf man sich noch vor Mitte des 1. Jahrhunderts v.Chr. vorstellen. Er hat dem 2.Makkabäerbuch thematische Ausrichtung und Profil gegeben. Es stellt den Verfall, die Krise und Erneuerung des Jerusalemer Tempels in den durch den Einbruch des Hellenismus in Palästina bedingten Wirren des 2. Jahrhunderts v.Chr. dar[21]. Das Buch setzt mit der Vorgeschichte der makkabäischen Erhebung unter dem Seleukidenkönig Seleukos IV. (187–175 v.Chr.) ein und endet mit dem Sieg des Judas Makkabäus über Nikanor (161/60 v.Chr.). Die Abschnitte 2 Makk 5-15 laufen synchron mit den Kapiteln 1-7 des 1. Makkabäer-

---

W. *Staerk*, Altjüdische liturgische Gebete [KlT 58] Berlin 1930, 29); dazu *Hengel*, Zeloten 272f.

[17] Zur Frage der Einleitungsbriefe in 2 Makk 1,1-2,18 vgl. die Einleitungen in das AT und bes. *Bunge*, Untersuchungen 32-152. Zum Epitomator und seinem Anteil am Aufriß von 2 Makk vgl. *Schunck*, Quellen; *Bunge*, Untersuchungen.

[18] Untersuchungen 203.

[19] Judentum 176-183.

[20] Dazu vgl. bes. *Bunge*, Untersuchungen.

[21] Zum Aufriß vgl. *Arenhoevel*, Theokratie 164f; *Bunge*, Untersuchungen 327f.

buchs, das von einem anderen Verfasser mit unterschiedlicher Tendenz geschrieben wurde.

Das in 2 Makk 7 vorausgesetzte Geschehen stellt eine *Episode aus den Verfolgungszeiten* des gesetzestreuen Judentums unter Antiochos IV. Epiphanes (175–164 v.Chr.) dar. Die hellenistischen Wirren in Palästina wurden nicht nur durch die Finanz- und Machtpolitik dieses großen Seleukiden, der die Tempelschätze seiner Länder vereinnahmte, um seinen Verpflichtungen nachzukommen, heraufbeschworen, sondern auch durch die taktischen Maßnahmen der führenden, dem Hellenismus zugewandten Kreise Jerusalems, die nur allzugern im Kampf um die Hohenpriesterwürde religionspolitische, kulturpolitische und finanzielle Konzessionen machten[22]. Die Texte der beiden Makkabäerbücher und des Danielbuchs berichten von den Geschehnissen, ohne daß es bisher in der biblisch historischen Forschung gelungen wäre, ein allgemein anerkanntes Bild der historischen Abläufe im Judentum dieser Zeit zu gewinnen. *J.G. Bunge* hat in seinen Untersuchungen zum zweiten Makkabäerbuch (Dissertation Bonn 1971) eine Rekonstruktion vorgelegt, die uns überzeugt und der wir für unsere Ausführungen als Voraussetzung folgen möchten.

Für den geschichtlichen Horizont von 2 Makk 7 bleibt es nötig zu wissen, daß nach dem Ende des letzten Ägyptenfeldzugs des Epiphanes im Juli 168 v.Chr. der Mysarch Apollonios Jerusalem überfällt und einnimmt (1 Makk 1,29-40; 2 Makk 5,24-26). Er zerstört die Stadt teilweise (1 Makk 1,39; Dan 11,31). Die öffentliche Verbrennung von Torarollen (1 Makk 1,56; MegTaan IV 6) zeigt den Trend einer offiziellen Hellenisierung des Judentums an. Das tägliche Tamidopfer im Tempel wird eingestellt (Dan 9,27; 11,31). Noch im gleichen Jahr errichtet man in Jerusalem nach hellenistischem Vorbild die Akra und Polis (1 Makk 1,33-35). 167 v.Chr. erscheint in der Stadt der „Athener", ein königlicher Beamter, der den Brandopferaltar durch einen Aufsatz hellenistischen Kultvorstellungen anpaßt (2 Makk 6,1f). Die Orthodoxie spricht von diesem Umbau als dem „Scheusal der Verwü-

---

[22] Dazu vgl. die Darstellungen der Geschichte Israels, z. B. *M. Noth.* Geschichte Israels, Göttingen ³1956, 322-343; *A.H.J. Gunneweg,* Geschichte Israels bis Bar Kochba, Stuttgart – Berlin – Köln – Mainz 1972, 143-154.

stung" (1 Makk 1,54; Dan 9,27; 11,31). Im Dezember findet auf ihm das erste Opfer zu Ehren des Seleukidenkönigs statt (1 Makk 1,59). Nun setzt eine Verfolgung der gesetzestreuen Juden ein, um sie zum Abfall vom Gesetz und dem alten toragemäßen Kultus zu zwingen (1 Makk 1,29-64; 2 Makk 6+7). Die Verfolgung erreicht 166 v. Chr. ihren Höhe- und zugleich Wendepunkt, als Judas Makkabäus und seine Familie den militärischen Widerstand zu organisieren beginnen (2 Makk 8,1-4). In dieses Jahr gehören nach dem Geschichtsbild und Aufriß des 2 Makk die in 2 Makk 6f dargestellten Ereignisse als Beispiele für das Martyrium der Gesetzestreuen.

Der Zwang zum Abfall vom alten Glauben wird in den beiden ausführlichen Märtyrergeschichten 2 Makk 6,18-31 und 2 Makk 7 an der *Repressalie des Genusses von Schweinefleisch,* den die Tora verbietet (Lev 11,7; Dtn 14,8) exemplifiziert. Es geht darum, „unreine Speisen" zu kosten und dadurch dem Judentum abzuschwören (4M 4,26). Der gesetzestreue Jude weiß, daß er durch das Essen von Schweinefleisch die Reinheitstora bricht und damit seine Erwählung preisgibt. Obwohl auch andere Völker aus Reinheitsgründen den Genuß dieses Tieres vermeiden[23], gilt die Enthaltung von Schweinefleisch in der Antike als Besonderheit Israels und „zugleich auch seines einfältigen Aberglaubens"[24]. Heidnischer Antisemitismus greift immer wieder zu dieser Schikane[25]. „Kein Syrer wurde unter Epiphanes gezwungen, vom Schwein zu kosten, nur von den Juden Jerusalems wurde es gefordert" *(E. Bickermann)*[26]. Zugleich handelt es sich um die Nötigung zu einem verbotenen Opfer, das mit niederen Kulten zu tun hat[27]. „Eine Kultre-

---

[23] Zur jüdischen Aversion vgl. Mk 5,1-20 par; Lk 15,15f; 4 M 4,26; 5,2.19.25; 6,19; 7,6; 8,1.12; Josephus Ap II 137.261; rabbinische Belege bei Bill I 448-450.492f. Auch für Ägypten findet sich das Verbot des Schweinefleischgenusses aus Reinheitsgründen; vgl. Herodot II 47; Plutarch Mor 353f. Die antiken Schriftsteller machen dies zum Gegenstand ihres Spottes; vgl. dazu die Hinweise von *F. W. Kohnke,* in: Philo VII 263 Anm. 3.

[24] *Bickermann,* Gott der Makkabäer 134.

[25] Vgl. 2 Makk 6,18; 7,1; 4 M 4,26; 5,2.19.25.27; Josephus Bell I 34; auch Ant XII 253; XIII 234; Philo Flacc 96; Gai 361.

[26] Gott der Makkabäer 134.

[27] Vgl. 1 Makk 1,47; 2 Makk 6,21; 7,42; 4M 5,2ff; Josephus Bell I 34; Ant XII 253; XIII 243. Nach Poseid 87 fr 109,4 hat Antiochos IV. auf dem Brandopferaltar von Jerusalem ein großes Schwein geschlachtet (vgl. auch

form, die die Ausnahmestellung des Judentums aufzuheben beabsichtigte, mußte... mit der jedem Rationalismus eigentümlichen Folgerichtigkeit gerade das Schwein zu dem für den Zeus Olympos von Jerusalem bevorzugten Opfer machen" *(E. Bickermann)*[28].

Daß das Geschehen von 2 Makk 7 in Jerusalem spielt, sagt allerdings der Text mit keinem Wort, wenn auch der Kontext auf den Zusammenhang mit judäischen Verfolgungen aufmerksam machen will[29]. In der Erzählung begegnet keinerlei Interesse am Tempel; er setzt eher eine synagogale Situation voraus. Auf Diasporalage weist die Selbstbezeichnung der Juden als „Hebräer"[30]. Hier wird auch das Sprachen-

---

Josephus Ant XII 253; XIII 243) und mit dem Blut dieses *Reinigungsopfers* den Altar und das Bild des Mose besprengt.

Zur kultischen Bedeutung des Schweins als Opfertier außerhalb des Judentums vgl. *M. Noth,* Die Gesetze im Pentateuch, 1940, in: Gesammelte Studien zum Alten Testament (TB 6) München ²1960, (9-141)78f. *Noth* hat hier die Belege für den Eber als heiliges Tier in der kanaanäischen Umwelt Israels zusammengestellt. Texte für Syrien und Nachbargebiete auch bei *W. W. Graf Baudissin,* Adonis und Esmun, Leipzig 1911, bes. 142ff. Belege für die Verwendung des Schweins als Reinigungsopfer in der griechischen und römischen Religiosität bei *Baudissin* 144 Anm. 3; *Orth,* Schwein: in: PRE II A 1 (801-815)811ff. Zu diesen Belegen sind jedoch kritisch zu vergleichen: *R. de Vaux,* Les sacrifices de porcs en Palestine et dans l'Ancien Orient, in: Von Ugarit nach Qumran, Fschr O. Eißfeldt (BZAW 77) Berlin ²1961, 250-265; *G. Sauer,* Schwein, in: BHH III 1966, 1748f. Das Schwein gilt einerseits als unrein und andererseits als heilig. Es spielt in dieser Zweideutigkeit vor allem bei Dämonenbeschwörungen und Kulten chtonischer Gottheiten eine wichtige Rolle; vgl. Jes 65,2-4; 66,3f.17. In diesem Bereich kann es auch als Opfertier für verschiedene, dem Dämonenglauben entwachsene Riten dienen (*de Vaux* 254ff; *Bickermann,* Gott der Makkabäer 134f). Neuerdings weist *Stendebach,* BZ 18, 263-271, darauf hin, daß es hier besonders um Mysterienkulte und Beschwörungen in Verbindung mit dem Fruchtbarkeitsgedanken geht. Vgl. zum Ganzen noch *Hengel,* Judentum 534 Anm. 210.

[28] Gott der Makkabäer 134f.

[29] Vgl. 2 Makk 6,1-11; 8,1-7.

[30] 2 Makk 7,31. In 2 Makk noch 11,13; 15,37; in 4M oft: 4,11; 5,2; 8,2; 9,6.18; 12,7; 16,15; 17,9; vgl. ferner Sib 3,69; 5,161.258; Phil 3,5; 2 Kor 11,22. Weitere Belege und Hinweise auf Synagogeninschriften bei *M. Hengel.* Zwischen Jesus und Paulus: ZThK 72 (1975) 151-206 bes. 169-186. Der seltene Begriff *Hebräer* wird als archaisierende Volksbezeichnung bei der Beschreibung der biblischen Geschichte, im poetisch literarisch gehobenen Sprachgebrauch und vor allem von der Sicht der Diaspora für den aus Pa-

problem, das 2 Makk 7 voraussetzt, wichtig. 2 Makk 7 rechnet damit, daß die Brüder und ihre Mutter „normalerweise" die Verkehrssprache der Diaspora, das Griechisch der Seleukiden, sprechen. Es fällt jedenfalls auf, wenn an einigen Stellen der Wechsel in die Vatersprache betont wird (V. 8.21.24.27), die der König nicht verstehen soll (V. 24). Solche Zweisprachigkeit erscheint auf dem Boden der Diaspora sinnvoller als in Judäa. Das Martyrium findet in Gegenwart des Königs statt (V. 3.12.24.29). Man kann diesen Zug der Erzählung nicht einfach als stilistisch bedingt für die historische Nachfrage abwerten; die Eleasargeschichte 2 Makk 6,18-31 erwähnt zum Beispiel trotz ihrer Ähnlichkeit mit 2 Makk 7 die Gestalt des Königs nicht. Die Gegenwart des Königs beim Martyrium weist von Jerusalem fort in den syrischen Raum[31]. Auch nach dem 4. Makkäerbuch findet das Geschehen in der Diaspora statt[32]. Die meisten sowie ältesten kirchlichen Zeugnisse lokalisieren die Gräber der Sieben und ihrer Mutter als jüdische und christliche Verehrungsstätte in Antiochia[33]. So wird die Überlieferung von 2 Makk 7 auf *Judenverfolgungen in Antiochia* zurückgehen[34].

Ungenannt bleiben auch die *Namen der Brüder und ihrer Mutter.* Die viel spätere Parallelerzählung 4M 8-18, die literarisch von 2 Makk abhängig ist[35] und aus dem 1. Jahrhundert n.Chr. stammt[36], erwähnt diese

lästina stammenden oder mit dem Heiligen Land besonders verbundener Juden verwendet. Wir dürfen an dieser Stelle mit einer feierlichen Selbstbezeichnung von Diasporajuden rechnen. Sie soll den Gegensatz zur heidnischen Umwelt, der in der Diaspora besonders spürbar wird, betonen.

[31] Vgl. 1 Makk 1,24.44; 2 Makk 5,21-27; 6,1-11; 8,35; dazu s. *Bunge,* Untersuchungen 304.

[32] Nach 4M 8,2 läßt sich Antiochos „von den Deportierten der Hebräer" vorführen.

[33] Dazu vgl. *Rampolla,* RArtC 48,290-305.377-392.457-465; *Bacher,* JJGL 4,70-85; Maas, MGWJ 44,145-156; *Obermann,* JBL 50, 250f; *W. Eltester,* Die Kirchen Antiochias im IV. Jahrhundert: ZNW 36 (1938) 251-286 bes. 283f; *Jeremias,* ZNW 40, 254f; *Bammel,* ThLZ 78,119-126; *Abel,* Maccabées 381-384; *Simon,* RHPhR 34,103f.113f; *Bickermann,* Byz. 21,63-83; *Downey,* A History of Antioch, 110f; *Schatkin,* VigChr 28,97-113.

[34] Für eine Lokalisierung des Geschehens in Antiochia treten auch ein *Rampolla, Maas* (150), *Schatkin* (s. Anm. 33), *Bévenot,* Makkabäerbücher 202; *Zeitlin,* Maccabées 19.49ff; *Bunge,* Untersuchungen 304f.

[35] Vgl. *Dupont-Sommer,* Machabées 26-32.

[36] Die Datierung ist umstritten. *E. Bickermann,* The Date of Fourth Macca-

ebenfalls nicht. Erasmus nennt sie in seiner lateinischen Paraphrase des 4. Makkäerbuches Maccabaeus, Oberus, Machiri, Judas, Achaz, Areth, Jacobus und die Mutter Salomone[37]. Nicht weniger phantastisch mutet die Aufzählung zweier Pariser Handschriften dieses Buches an: Abbis (oder Abes), Gourias, Eusebenus, Marcellus, Antonius, Isleazar, Samonas und als Mutter Salomonis mit dem Vater Archippas[38]. Die Kirchenväter haben die Brüder „die Makkabäer" genannt. Für den Namen der Mutter gibt es eine breite Überlieferung frommer Phantasie: Salomuna nach dem arabischen Josippon[39], Salomone in den griechischen Quellen und der lateinischen Paraphrase des Erasmus[40], Schemuni–Samona im syrischen Martyrologium von 411/2 n.Chr.[41]. Dabei bleibt zu beachten, daß Letzteres wohl einfach „die achte (die nach den sieben starb)" bedeutet, oder sich aus Semonaita-Hasmonaita-Aschmunit, d.h. die Hasmonäerin, ableitet. Im Midrasch Echa rabbati zu Klgl 1,16, in dem davon abhängigen sehr späten Seder Elijjahu R. 28 (30) (10. Jh. ?) sowie in Pesikta Rabbati 180b *(Ed. Friedmann)* wird sie als Mirjam, Tochter Tanchums, erwähnt. Jossipon IV 19 nennt sie in Entsprechung zur Mutter Samuels nach 1 Sam 1f Hanna[42]. Dieser Name begegnet auch in einem jüdisch arabischen Pijut zur Liturgie vom 9. Ab, dem Gedenktag der Zerstörung Jerusalems[43]. Die jüdische legendarische Überlieferung weiß einiges über

---

bees, 275-281, hält an der Mitte des 1.Jhs.n.Chr. fest. *Dupont-Sommer,* Machabées 75-85, rechnet mit der Zeit Trajans oder Hadrians (117/8 n.Chr.), die zuletzt auch *U. Breitenstein,* Beobachtungen zu Sprache, Stil und Gedankengut des Vierten Makkabäerbuchs, Basel 1976, vorschlägt.

[37] Vgl. *Grimm,* Maccabäer 134; *Abel,* Maccabées 381; *Townshend,* in: R. H. Charles, The Apocrypha and Pseudepigrapha of the Old Testament, Bd. 2, Oxford (1913) 1969, 661.

[38] Vgl. *Grimm* und *Abel* ebd., dazu auch *Delehaye,* Les origines 202. Die Namen Abbis, Gourias und Samonas begegnen auch als Namen edessenischer Märtyrer; vgl. aaO. 37.212.

[39] II 29; vgl. *J. Wellhausen,* Der arabische Josippus (AAGW.Ph I 4) Berlin 1897,13.

[40] Vgl. *Rampolla,* RArtC 48,304; *Bacher,* JJGL 4,77.

[41] Vgl. *H. Lietzmann,* Die drei ältesten Martyrologien (KlT 2) Bonn [2]1911, 13,4-8.

[42] 68 Ed. Hominer.

[43] Vgl. *H. Hirschfeld,* JQR 6 (1894) 119-135.

ihr Ende zu berichten[44]. In der lateinischen Kirche heißt die Mutter seit Ambrosius Maccabaea, das ist die Makkabäerin[45]. Vielleicht verschweigt der Text die Namen der Märtyrer[46] mit Absicht. Stehen sie doch repräsentativ für alle jene Männer und Frauen, die in den hellenistischen Verfolgungen um der Tora willen Folter und Tod auf sich nahmen. Zuletzt aber werden wir wohl auch durch die Auslassung solcher historischen und lokalen Angaben darauf hingewiesen, daß es in 2 Makk 7 letzlich nicht um eine geschichtliche Reminiszenz, sondern um eine zu allen Zeiten jüdischen (und christlichen) Glaubens gültige Botschaft geht. In 2 Makk 7 entwickelt sich im Zusammenhang einer Märtyrertheologie und im Gespräch mit Dan 12 eine neue *Auferstehungsvorstellung von der besonderen himmlischen Auferstehung der Märtyrer unmittelbar nach ihrem Tod*. Wir möchten mit unserer Studie den Aufbruch einer solchen Erwartung in 2 Makk 7 und die Überlieferung des Motivs bis in das Urchristentum hinein verfolgen. Alle anderen und exegetischen Fragen zu 2 Makk 7 bleiben um des glaubens- und motivgeschichtlichen Themas willen soweit wie möglich unberücksichtigt. Weiterführende Hinweise zu allgemeinen Fragen in 2 Makk 7 bieten die Fußnoten der Übersetzung des Textes von der himmlischen Auferstehung der Märtyrer.

---

[44] 4M 17,1 schildert in Anlehnung an 4M 12,19: „Es erzählten übrigens einige von den Speerträgern, daß sie, als sie auch zum Tode geschleppt werden sollten, sich selbst in das Feuer gestürzt habe, damit niemand ihren Leib berühre". Nach Git 57b stürzt sich die Mutter wie Razi in 2 Makk 14,43 vom Dach des Gebäudes herab. Nach Midr Echa rabbati zu Klgl 1,16 kann sie noch ungehindert hinweggehen, verfällt dem Wahnsinn, stürzt sich später auf die gleiche Weise zu Tode. Offensichtlich ist hier das Geschick des Razi legendenbildend geworden.
Nach Josippon IV 19 (Ed. Hominer 68) besteigt die Mutter den Leichenberg ihrer Kinder und bringt Gott einen Lobgesang nach dem Hymnus der Hanna aus 1 Sam 2 dar, bevor sie ihre Seele aushaucht. Neben 1 Sam 2 hat hier wohl die in Git 57b und Midr Echa rabbati zu Klgl 1,16 erkennbare Tradition eingewirkt, nach der eine Himmelsstimme „Es freue sich die Mutter ihrer Kinder" (Ps 113,9) am Ende des grausamen Geschehens ertönt, um die Ansicht des Auslegers im Midrasch zu widerlegen, daß sich im Ende der Mutter Jer 15,9 „Es trauert die, die sieben geboren hat" erfülle.

[45] Vgl. *Grimm,* Maccabäer 134; *Abel,* Maccabées 381.

[46] Zu den Namen der Märtyrer vgl. noch R. L. Bensly, The Fourth Book of Maccabees, Cambridge 1895; Giamil, Bess. II 1, 448-450.

2 Übersetzung und Kommentar

2.1 7,1-2

7 ¹Συνέβη δὲ καὶ ἑπτὰ ἀδελφοὺς μετὰ τῆς μητρὸς συλλημφθέντας ἀναγκάζεσθαι ὑπὸ τοῦ βασιλέως ἀπὸ τῶν ἀθεμίτων ὑείων κρεῶν ἐφάπτεσθαι μάστιξι καὶ νευραῖς αἰκιζομένους. ²εἷς δὲ αὐτῶν γενόμενος προήγορος οὕτως ἔφη Τί μέλλεις ἐρωτᾶν καὶ μανθάνειν ἡμῶν; ἕτοιμοι γὰρ ἀποθνῄσκειν ἐσμὲν ἢ παραβαίνειν τοὺς πατρίους νόμους.

(1) Auch sieben[a] Brüder mit ihrer Mutter wurden verhaftet. Der König[b] ließ sie mit Peitschen[c] und Ochsenriemen mißhandeln, um sie zum Genuß von Schweinefleisch, den die Tora verbietet[d], zu zwingen[e]. (2) Da sprach einer von ihnen, der als Wortführer auftrat: „Was willst du erfragen und aus uns herausbringen? Wir sind nämlich entschlossen, eher zu sterben[f], als die Gesetze der Väter zu übertreten"[g].

a Stilisierung nach atl Tradition, in der die große Zahl von Kindern, bes. Söhnen, als Gnade Gottes verstanden wird (Ps 127,3-5). Vgl. zur Siebenzahl Rut 4,15; 1 Sam 2,5; Ijob 1,2; AssMos 9,1; Apg 19,14; Josephus Bell I 312f. Möglicherweise liegt eine Anspielung auf Jer 15,9 vor; vgl. Midr Echa rabbati zu Klgl 1,16.

b Antiochos IV. Epipanes (175-164 v.Chr.); dazu s.o. 1.

c Terminus technicus für die Folterung bei der peinlichen Befragung (vgl. Apg 22,24; auch 16,22); s. *J. Vergote,* Folterwerkzeuge, in: RAC VIII 112-141, bes. 124-127. Zum Auspeitschen in den Märtyrerberichten vgl. z.B. Jes 50,6; 2 Makk 6,30; 7,37; 4M 6,3.6; 9,12; Hebr 11,35; MartPol II 2; ActJust V 1; auch Hermvis III 2,1.

d *Abel,* Maccabées 371, und *Katz,* ZNW 51, 19, halten ἀθεμίτων (ungesetzlich) für die Randglosse, die den nichtjüdischen Lesern gelte. Dagegen weist *Hanhart,* Text 25 mit Anm. 2, auf die unsichere Textgrundlage für die Kurzlesart hin und betont, daß ἀθεμίτων hier nicht nur erklärende, sondern auch bewertende Bedeutung hat. Zum Begriff vgl. auch Josephus Bell I 84; II 131; IV 99.205.562; VI 209; Vit 26; Ap II 119.

e Dazu s.o. 1 mit Anm. 22-28.

f Typischer Zug in der jüdischen Verfolgungsüberlieferung; vgl. V.5.8f.23.30.37; 1 Makk 1,63; 2,37; 2 Makk 6,19.27f; 4M 9,1; AssMos 9,6; Josephus von den herodianischen Märtyrern Bell I 650.653; II 6; Ant XV 288; XVIII 152; von den römischen Bedrängnissen Bell II 174; Ant XVIII 58f.267; vom jüdischen Gesetzesgehorsam allgemein Ap I 42f; II 219.233.

g Vgl. 2 Makk 6,1; 7,24 (30) 37; 4M 4,23; 5,33; 16,16. Die *Gesetze der Väter* sind mit dem Mosegesetz, das als Urkunde des mit den Vätern geschlossenen Bundes gilt (1 Makk 1,57.63; 2,20f.27.50), identisch. Josephus berichtet Bell I 34 von Antiochos IV.: „... er wollte die Juden zwingen, unter Hintansetzung der Ordnungen der Väter ihre Kinder unbeschnitten zu lassen und Schweine auf dem Altar zu opfern." Man muß sich dabei verdeutlichen, daß mit dem staatsrechtlichen Terminus technicus „die Gesetze der Väter" seit der Perserzeit die Vorstellung von der Unverletzlichkeit der jüdischen Tora als königlichen Gesetzes verbunden wird. Diese Garantie scheint dem jüdischen Volke bereits von Alexander dem Großen und den Lagiden gegeben worden zu sein (vgl. Josephus Ant XI 338) und ist von Antiochos III., dem Vater Antiochos' IV., 200 v.Chr., erneuert worden (Ant XII 142). So war das Gesetz der Väter in der Zeit der hellenistischen Wirren ein königliches Gesetz; vgl. dazu *E.J. Bickerman*, Der Seleukidische Freibrief für Jerusalem, in: A. Schalit, Zur Josephus-Forschung (WdF LXXXIV), Darmstadt 1973, (205-240) 232ff.239f.

2.2 **7,3-6**

³ἔκθυμος δὲ γενόμενος ὁ βασιλεὺς προσέταξε τήγανα καὶ λέβητας ἐκπυροῦν. ⁴τῶν δὲ παραχρῆμα ἐκπυρωθέντων τὸν γενόμενον αὐτῶν προήγορον προσέταξε γλωσσοτομεῖν καὶ περισκυθίσαντας ἀκρωτηριάζειν τῶν λοιπῶν ἀδελφῶν καὶ τῆς μητρὸς συνορώντων. ⁵ἄχρηστον δὲ αὐτὸν τοῖς ὅλοις γενόμενον ἐκέλευσε τῇ πυρᾷ προσάγειν ἔμπνουν καὶ τηγανίζειν. τῆς δὲ ἀτμίδος ἐφ' ἱκανὸν διαδιδούσης τοῦ τηγάνου ἀλλήλους παρεκάλουν σὺν τῇ μητρὶ γενναίως τελευτᾶν λέγοντες οὕτως ⁶ʿΟ κύριος ὁ θεὸς ἐφορᾷ καὶ ταῖς ἀληθείαις ἐφ' ἡμῖν παρακαλεῖται, καθάπερ διὰ τῆς κατὰ πρόσωπον ἀντιμαρτυρούσης ᾠδῆς διεσάφησε Μωυσῆς λέγων Καὶ ἐπὶ τοῖς δούλοις αὐτοῦ παρακληθήσεται.

(3) Da geriet der König außer sich und befahl, Eisenplatten[a] und Pfannen[b] glühend zu machen. (4) Kaum waren diese glühend, befahl er, dem Wortführer die Zunge abzuschneiden, ihm nach Skythenbrauch die Haut mit den Haaren vom Kopf abzuziehen[c] und dann die äußeren Gliedmaßen abzuhauen[d], während die anderen Brüder und die Mutter zusehen mußten[e]. (5) Als dieser ganz verstümmelt war, ließ der König ihn noch lebend an den Feuerherd bringen und rösten[f]. Während sich nun von der Eisenplatte her der Geruch (von verbrennendem Fleisch) verbreitete, ermahnten sie und die Mutter einander tapfer[g] zu sterben und sagten: (6) "Der Herr, Gott, sieht alles[h] und wendet uns gewiß sein Erbarmen zu[i], wie es Mose in seinem offen protestierenden Lied[j] kundgetan hat: 'Und über seine Knechte wird er sich erbarmen'[k]"

a Zu dieser antiken Folterpraxis vgl. *Vergote,* RAC VIII 128.

b Kesselartiger Feuerbehälter Esr 1,13; Sir 13,2; 4M 8,13; 12,1; 18,20; Chrysosthomus, Homilie II über die heiligen Makkabäer, MPG 50,625.

c Der Vorgang wird in V.7 beschrieben; vgl. ἀποσκυθίζειν 4M 10,7. Zum Skythenbrauch verwundete, kriegsgefangene und tote Feinde zu skalpieren vgl. auch Euripides El 241; Epigr Graec 790,8; Herodot IV 64; Plinius Hist nat VII. Zur sprichwörtlichen Grausamkeit der Skythen vgl. 2 Makk 4,47; 3M 7,5; Philo Gai 10; Josephus Ap II 269; Herodot I 1o6; Cicero Verr II 5,150; Oratio in Pisonem VIII 17; Nat Deor II 1; III 4.

d Wird in V.7 beschrieben; vgl. auch 4M 10,20; Josephus Ant V 122 (Ri 1,6f); Ap I 256.284; Euseb HE VIIII 12,1f von den Märtyrern: „... anderen schnitt man Nasen, Ohren und Hände ab und verstümmelte sie an den übrigen Gliedern und Teilen des Körpers."

e Vgl. Josephus Ant XVIII 23 von den Zeloten: „Vielfältige Todesarten zu erdulden achten sie für gering, ebenso die Hinrichtung von Freunden und Verwandten, wenn sie nur keinen Menschen ihren Herrn zu nennen brauchen."

f Die Parallele 4M 9,10-25 beschreibt die Tortur noch ausführlicher. Zur Feuerfolter in der Antike vgl. *Vergote,* RAC VIII 122f.130.134f; als Märtyrerschicksal bes. 4M 9,19f; Pseudophilo LAB VI 4; Euseb HE VIII 12,1f: „Und was soll ich das Andenken derer in Antiochien erneuern, die auf Feuerherden, nicht damit sie stürben, sondern zwecks langer Peinigung gebraten wurden oder lieber die Rechte in die Flammen steckten, als das unheilige Opfer berührten"; MartLudg XXXVIII; LII.

g Stil der pathetischen Historiographie über den Tod berühmter Männer nach dem Vorbild des Sokrates. Der Begriff begegnet häufig in Märtyrererzählungen; vgl. z.B. 2 Makk 6,28.31; 7,11.21; 13,14; 4M 6,10; 7,8; 8,3; 11,12; 15,24.30; 16,16; 17,3; 1 Clem V 1.6; VI 2; MartPol II 2; dazu *Perler,* RivAC 25,65f.

h Wendung jüdischen Vorsehungs- und Erhaltungsglaubens, die das Vertrauen zur geschichtlichen Zuwendung Gottes ausdrückt; vgl. Ijob 28,24; 2 Makk 12,22; 15,2; Sib Prooem 80; Philo Abr 104; Flacc 121; Josephus Bell I 631; V 413; VI 127; Ant IV 114; VIII 108.227; XI 280; XIX 61; Ap II 181.

i Παρακαλεῖται aus dem nachfolgenden Zitat aufgegriffen.

j Anspielung auf Dtn 31,21.

k Zitat Dtn 32,36 (vgl. auch Ps. 135,14).

2.3 7,7-9

⁷Μεταλλάξαντος δὲ τοῦ πρώτου τὸν τρόπον τοῦτον τὸν δεύτερον ἦγον ἐπὶ τὸν ἐμπαιγμὸν καὶ τὸ τῆς κεφαλῆς δέρμα σὺν ταῖς θριξὶ περισύραντες ἐπηρώτων Εἰ φάγεσαι πρὸ τοῦ τιμωρηθῆναι τὸ σῶμα κατὰ μέλος; ⁸ὁ δὲ ἀποκριθεὶς τῇ πατρίῳ φωνῇ προσεῖπεν Οὐχί.

διόπερ καὶ οὗτος τὴν ἑξῆς ἔλαβε βάσανον ὡς ὁ πρῶτος. ⁹ἐν ἐσχάτῃ
δὲ πνοῇ γενόμενος εἶπε Σὺ μέν, ἀλάστωρ, ἐκ τοῦ παρόντος ἡμᾶς ζῆν
ἀπολύεις, ὁ δὲ τοῦ κόσμου βασιλεὺς ἀποθανόντας ἡμᾶς ὑπὲρ τῶν
αὐτοῦ νόμων εἰς αἰώνιον ἀναβίωσιν ζωῆς ἡμᾶς ἀναστήσει.

(7) Nachdem der erste auf diese Weise aus dem Leben geschieden
war[a], führte man den *zweiten* erniedrigenden Quälereien[b] zu und riß
ihm die Kopfhaut mitsamt den Haaren ab mit der Frage „Willst du[c]
essen, bevor dir der Leib Glied für Glied gemartert wird?". (8) Er aber
gab in der Sprache der Väter[d] zur Antwort „Nein". Deshalb mußte
auch dieser der Reihe nach dasselbe wie der erste erdulden. (9) Als er in
den letzten Zügen lag, sprach er: „Du Verbrecher[e] nimmst uns zwar
das gegenwärtige Leben[f]. Der König der Welt[g] aber wird uns, die wir
für sein Gesetz sterben[h], zur Wiedergeburt in das ewige Leben[i] auferwecken[j].

a Μεταλλάσσειν auch in V.13f; vgl. ferner Est 2,7.20; 2 Makk 4,37; 6,31;
14,46; auch μεταλλάσσειν τὸν βίον in V. 40.
b Zu ἐμπαιγμός vgl. 3M 5,22; Weish 12,25; Sir 27,28; Hebr 11,36; ἐμπαίζειν
(quälen) 1 Makk 9,26; 2 Makk 7,10; 8,17. Es geht um erniedrigende körper-
liche Mißhandlungen vor oder bei dem Strafvollzug; vgl. im NT. bes. die
dritte Leidensansage Mk 10,34 par und die Verspottung Jesu Mk 15,20 par.
Begriff der jüdischen Leidensfrömmigkeit in der Darstellung heidnischer Verfolgungen; vgl. *G. Bertram,* ThWNT V 629-635.
c Ἐι in direkter Frage auch 2 Makk 15,3; 4M 18,17; Tob 5,5.
d Vgl. 2 Makk 7,21.27; 12,37; 15,29; 3M 6,32; dazu o. 1.
e Ἀλάστωρ 4M 9,24; 11,23; 18,22; Josephus Bell II 596 (Rachegeist).
f Vgl. Tob 3,13 ἀπολῦσαί με ἀπὸ τῆς γῆς (nimm mich von der Erde).
g Bewußter Kontrast zwischen dem König von Syrien (V.1.3.12.16.25.30.39)
und Gott, dem König der Welt (vgl. 2 Makk 13,4). Die Verwendung des Kö-
nigstitels für Gott ist umso auffälliger, als in 2 Makk der syrische König 54 mal
als *König* bezeichnet wird; vgl.*Arenhoevel,* Theokratie 152 Anm. 23.
Bereits die auf vorisraelitisch-kanaanäische Grundlagen zurückgehende Prädizierung Jahwes als König im AT vereinigt die Aspekte in sich, die an dieser
Stelle zum Verständnis wichtig werden. Wenn Israel in den Jahwe-Königs-
Psalmen (Ps. 24,7-10; 47; 93; 96-99) oder in den Prophetenworten (vgl. Jes 6,5;
52,7; Jer 10,10; Sach 14,9.16; Mal 1,14) Jahwe als König bezeichnet, rühmt es
ihn als *Schöpfer* (vgl. 2 Makk 1,24; 3M 2,9; Jdt 9,11f; aethHen 9,4f; 81,3; 84,2f;
1QGenAp II 4f.14; XX 13.15; 1QSb IV 26; 1QH X 8), *Weltherrscher* (vgl. Dan
4,34; 3M 2,2; 5,35; 6,2; Tob 13,6f; Jdt 9,11; PsSal 2,30.32; 17,3; aethHen 9,4f;
1QGenAp XX 12f; 1QH X 8) und *Richter* (vgl. Jes 52,7; Sach 14,9.16; Obd 21;

Tob 13,15; Sib 3,56.560.616.771; aethHen 25,3; 91,13; 1QM VI 6; XII 7f.14; XIV 16; XIX 1.6; 1QGenAp XX 12). Das Bekenntnis zur Königsherrschaft Gottes stammt aus dem Lobpreis Israels; vgl. im NT 1 Tim 1,17; 6,15.

h Vgl. 2 Makk 8,21; auch 4M 6,27; 13,9; o. Note f.g zu V.2.

i Zur Übersetzung weist *Hanhart,* Text 33, auf syntaktische Parallelen im NT hin: Mk 3,29 ἔνοχος αἰωνίου ἁμαρτήματος = schuldig eines Vergehens, das ewige Strafe verdient; Hebr 9,12 αἰωνία λύτρωσις = Erlösung in das ewige Leben.

j Die Wendung εἰς αἰώνιον ἀναβίωσιν ζωῆς ἡμᾶς ἀναστήσει ist einmalig. Für ἀναβίωσις gibt es in der Septuaginta und im NT keine weiteren Belege; Die Verbform ἀναβιοῦν bezeichnet bei Josephus Ant XVIII 14 ein Wiederaufleben nach dem Tode in Gestalt der Reinkarnation der guten Seele; in 2 Clem XIX 4 meint sie die himmlische Existenz nach dem Sterben. Belege aus der Profangräzität bei *Bauer* 100f. Zur Interpretation der übrigen Begriffe s.u. 5.1 z.St.

2.4 7,10-12

[10]*Μετὰ δὲ τοῦτον ὁ τρίτος ἐνεπαίζετο καὶ τὴν γλῶσσαν αἰτηθεὶς ταχέως προέβαλε καὶ τὰς χεῖρας εὐθαρσῶς προέτεινε* [11]*καὶ γενναίως εἶπεν Ἐξ οὐρανοῦ ταῦτα κέκτημαι καὶ διὰ τοὺς αὐτοῦ νόμους ὑπερορῶ ταῦτα καὶ παρ' αὐτοῦ ταῦτα πάλιν ἐλπίζω κομίσασθαι·* [12]*ὥστε αὐτὸν τὸν βασιλέα καὶ τοὺς σὺν αὐτῷ ἐκπλήσσεσθαι τὴν τοῦ νεανίσκου ψυχήν, ὡς ἐν οὐδενὶ τὰς ἀλγηδόνας ἐτίθετο.*

(10) Nach diesem wurde der *dritte* mit Hohn gequält[a]. Als man ihm die Zunge abverlangte, streckte er sie ohne weiteres heraus[b] und hielt auch beherzt die Hände hin[c]. (11) Dabei sprach er tapfer: „Vom Himmel habe ich diese bekommen, und um seines Gesetzes willen lasse ich diese fahren und hoffe von ihm diese wiederzuerlangen"[d]. (12) Daraufhin gerieten der König und seine Umgebung voll Erstaunen über den Mut des jungen Mannes, wie er die Schmerzen für nichts achtete.

a 4M 10,1-11 schildert die Tortur ausführlicher.

b Vgl. V.4, bes. aber 4M 10,18f: „Selbst wenn du mir das Werkzeug der Sprache raubst, Gott hört auch die Stummen. Siehe, herausgestreckt ist meine Zunge! Schneide sie ab! Du wirst deswegen doch nicht unserer Vernunft die Zunge abschneiden."

c Vgl. V. 4.7f.

d Josephus Bell II 153 von den essenischen Zeloten: „Freudig gaben sie ihr Leben in der Zuversicht es wiederzuerlangen."

¹³Καὶ τούτου δὲ μεταλλάξαντος τὸν τέταρτον ὡσαύτως ἐβασάνιζον αἰκιζόμενοι. ¹⁴καὶ γενόμενος πρὸς τὸ τελευτᾶν οὕτως ἔφη Αἱρετὸν μεταλλάσσοντας ἀπ' ἀνθρώπων τὰς ὑπὸ τοῦ θεοῦ προσδοκᾶν ἐλπίδας πάλιν ἀναστήσεσθαι ὑπ' αὐτοῦ· σοὶ μὲν γὰρ ἀνάστασις εἰς ζωὴν οὐκ ἔσται.

(13) Nachdem dieser aus dem Leben geschieden war, folterten und mißhandelten[a] sie den *vierten* auf die gleiche Weise. (14) Als der dem Tod nahe stand, sprach er folgendermaßen: „Gern scheidet man aus dem Leben durch Menschenhand, wenn man dabei die von Gott (geschenkten) Hoffnungen hegen darf, wieder von ihm auferweckt zu werden[b]. Für dich aber gibt es keine Auferstehung zum Leben[c].

a Das Begriffpaar βασανίζειν / βάσανος (vgl. V.8.17) und αἰκίζεσθαι / αἰκισμός (vgl. V.1.15.; 2 Makk 8,17.28.30 u. ö.) begegnet stereotyp in der jüdischen Verfolgungsüberlieferung. Vgl. z.B. Josephus Ant XII 253ff über die Nöte der Bedrängung durch Antiochos IV.: „Dann zwang er die Juden, die Verehrung ihres Gottes aufzugeben... und täglich Schweine zu opfern... Die Vornehmsten und Edelmütigsten jedoch kümmerten sich nicht um ihn und hielten ihre väterlichen Gesetze (πατρίων ἐθῶν) höher als die Strafe, die er den Ungehorsamen angedroht hatte. Deshalb wurden täglich Menschen mißhandelt (αἰκιζόμενοι) und grausam gefoltert (βασάνους ὑπομένοντες), bevor man sie hinrichtete: man geißelte sie (μαστιγούμενοι), verstümmelte sie und schlug sie dann noch lebend ans Kreuz".
b Vgl. 2 Kor 1,9: „Ja, wir hatten bei uns selbst das Todesurteil gesprochen, so daß wir nicht mehr auf uns selbst vertrauten, sondern nur noch auf Gott, der die Toten auferweckt." Paulus scheint hier Wendungen der Märtyrertheologie aufzugreifen; vgl. *Schwantes,* Schöpfung 68f.
c Vgl. Dan. 12,2.

2.6 **7,15-17**

¹⁵Ἐχομένως δὲ τὸν πέμπτον προσάγοντες ἠκίζοντο. ¹⁶ὁ δὲ πρὸς αὐτὸν ἰδὼν εἶπεν Ἐξουσίαν ἐν ἀνθρώποις ἔχων φθαρτὸς ὤν, ὃ θέλεις ποιεῖς· μὴ δόκει δὲ τὸ γένος ἡμῶν ὑπὸ τοῦ θεοῦ καταλελεῖφθαι. ¹⁷σὺ δὲ καρτέρει καὶ θεώρει τὸ μεγαλεῖον αὐτοῦ κράτος, ὡς σὲ καὶ τὸ σπέρμα σου βασανιεῖ.

(15) Gleich darauf führte man den *fünften* herbei und mißhandelte ihn. (16) Der aber richtete seinen Blick (auf den König) und sprach: „Weil du Macht hast über Menschen, obwohl du vergänglich bist[a], tust du, was dir beliebt[b]. Meine aber ja nicht, unser Volk sei von Gott verlassen[c]. (17) Was dich betrifft, so warte, und du wirst sehen, wie gewaltig seine Kraft ist und wie er dich und deine Nachkommen[d] peinigen wird[e].

a Der Mensch ist vergänglich (vgl. Weish 14,8; Philo Op 82; Röm 1,23; 1 Kor 15,53f; 1 Petr 1,23;) im Unterschied zu Gott, dem Unsterblichkeit eignet (vgl. Weish 12,1; Röm 1,23; 1 Tim 1,17). Der Märtyrer hat nach 4M 9,22; 17,12 nach seinem Tod mit seiner himmlischen Existenz an der Unvergänglichkeit Gottes teil; vgl. auch Weish 2,23. So spielt die Aussage auf die Hybris des Königs und in Zusammenhang mit V. 14 auf den Gegensatz zwischen Märtyrer und Verfolger an.

b In Dan 11,3 wird Alexander der Große mit diesen Worten charakterisiert.

c Vgl. 2 Makk 6,12-17.

d Anspielung auf den Tod des Sohnes Antiochos V. Eupator 162 v.Chr. (1 Makk 7,4) oder des Ursupators Alexander Balas 145 v.Chr. (1 Makk 11,17), den man für einen Abkömmling des Königs hielt. Zur Bestrafung der Gottlosen in der Nachkommenschaft vgl. Dtn 5,9.

e Vgl. 2 Makk 9,5-29. Das Motiv vom qualvollen Tod des Gottesverächters ist in der Antike weit verbreitet; vgl. z.B. neben 2 Makk 9,5-29 Herodot IV 205 (Pheretime von Kyrene); Pausanias IX 7,2f (Kassander); Josephus Ant XVII 168-170 (Herodes I.); Apg 12,22f (Agrippa I.); Lukian Alexander LIXf (Alexander von Abonuteichos); Lactanz, De mortibus persecutorum XXXIII 7f.11; Euseb HE VIII 16,3f und Vita Constantini I 57,1-3 (Kaiser Galerius); dazu s. J. Moreau, De mortibus persecutorum (SC 39) Paris 1954, 61-64.383-386. In den Märtyrergeschichten drohen die Frommen oft ihren Mördern das gleiche Schicksal an, das sie erleiden: vgl. z.B. 2 Makk 4,38; 5,9f; 13,8; 4M 10,11; Josephus Ant XVII 116; Philo Flacc 188-191; MartPol XI 2; MartPaul VI.

2.7 **7,18-19**

[18]Μετὰ δὲ τοῦτον ἦγον τὸν ἕκτον, καὶ μέλλων ἀποθνῄσκειν ἔφη Μὴ πλανῶ μάτην, ἡμεῖς γὰρ δι᾿ ἑαυτοὺς ταῦτα πάσχομεν ἁμαρτόντες εἰς τὸν ἑαυτῶν θεόν. ἄξια θαυμασμοῦ γέγονε· [19]σὺ δὲ μὴ νομίσῃς ἀθῷος ἔσεσθαι θεομαχεῖν ἐπιχειρήσας.

(18) Nach diesem brachten sie den *sechsten*[a]. Als der im Sterben lag, sprach er: „Gib dich keinem vergeblichen Irrtum hin. Wir nämlich erleiden dieses unseretwegen, weil wir gegen den eigenen Gott gesündigt haben[b]. Darum sind solche erstaunenswerte Dinge geschehen[c]. (19) Rechne du aber nicht damit, ungestraft zu bleiben, nachdem du gewagt hast, gegen Gott zu streiten[d].

a 4M 11,13-19 schildert ausführlicher.

b Vgl. zum Verständnis des Leidens der Märtyrer als Strafe für eigene Schuld u. 3.1 Anm. 29.

c Tempelentweihung, Abfall und Verfolgung in den hellenistischen Wirren.

d Das seltene Wort ϑεομαχεῖν begegnet z.B. bei Menander fr 162 (187); DiodSic XIV 69,2; Josephus Ant XIV 310; Ap I 246.263; Apg 5,39; weitere Hinweise bei *O. Bauernfeind*, μάχομαι in: ThWNT IV 533f.
Der Vorwurf des Kämpfens gegen Gott gilt Antiochos IV. Epiphanes auch in Dan 7,8.20-27; 8,10f.24; 11.36f; 2 Makk 9,8.10. Dies steht nicht nur in atl -jüdischer Tradition (vgl. Jes 14,12ff; Ez 28,1ff). Auch außerhalb des Judentums sieht man im hellenistischen Raum in Antiochos IV. den Typos des Götterfeindes verkörpert, der mit seiner Militärmacht die Heiligtümer angreift, um die Tempelschätze zu plündern und die Priesterschaft zu töten; vgl. *Lebram*, VT 25,737-772. Das Bild des Feindes der göttlichen Ordnung begegnet vor allem in der ägyptischen „Weissagungsliteratur", einer politischen Dichtung der hellenistischen Zeit. Die ursprünglich dem Perserkönig Kambyses geltende Darstellung ist auf Antiochos übertragen. Das Verhalten des Seleukiden in Ägypten (Dan 11,21-45) dürfte auch zu seiner Charakterisierung als endzeitlichem Frevler in der Apokalyptik geführt haben; vgl. *Lebram*. Darüberhinaus mag jüdischer Glaube die gegen äußere und innere Widerstände ausgerichteten, politisch bedingten Tendenzen des Antiochos zur Selbstvergottung im Sinne des Herrscherkults als Kampf gegen Gott und als Hybris ausgelegt haben. Um 174 v.Chr. nimmt Antiochos als erster Seleukide seinen mit den Epitheta des Herrscherkults erweiterten Titel (ΒΑΣΙΛΕΥΣ ΑΝΤΙΟΧΟΥ ΘΕΟΥ ΕΠΙΦΑΝΟΥΣ, König Antiochos erschienener Gott) in die Münzlegende auf. Nach 2 Makk 6,7 läßt er seinen Geburtstag in der jüdischen Provinz jeden Monat kultisch begehen; vgl. dazu *F. Taeger*, Charisma I, Stuttgart 1957, 252f.318ff.435ff; *Hengel*, Judentum 519ff; *Bunge*, Untersuchungen 475f; *ders.*, „THEOS EPIPHANES": Hist 23 (1974) 57-85.

2.8 7,20-23

²⁰ᶜ Ὑπεραγόντως δὲ ἡ μήτηρ θαυμαστὴ καὶ μνήμης ἀγαθῆς ἀξία, ἥτις ἀπολλυμένους υἱοὺς ἑπτὰ συνορῶσα μιᾶς ὑπὸ καιρὸν ἡμέρας

εὐψύχως ἔφερε διὰ τὰς ἐπὶ κύριον ἐλπίδας. ²¹Ἔκαστον δὲ αὐτῶν παρεκάλει τῇ πατρίῳ φωνῇ γενναίῳ πεπληρωμένῃ φρονήματι καὶ τὸν θῆλυν λογισμὸν ἄρσενι θυμῷ διεγείρασα λέγουσα πρὸς αὐτούς ²²Οὐκ οἶδ᾽, ὅπως εἰς τὴν ἐμὴν ἐφάνητε κοιλίαν, οὐδὲ ἐγὼ τὸ πνεῦμα καὶ τὴν ζωὴν ὑμῖν ἐχαρισάμην, καὶ τὴν ἑκάστου στοιχείωσιν οὐκ ἐγὼ διερρύθμισα. ²³τοιγαροῦν ὁ τοῦ κόσμου κτίστης ὁ πλάσας ἀνθρώπου γένεσιν καὶ πάντων ἐξευρὼν γένεσιν καὶ τὸ πνεῦμα καὶ τὴν ζωὴν ὑμῖν πάλιν ἀποδίδωσι μετ᾽ ἐλέους, ὡς νῦν ὑπερορᾶτε ἑαυτοὺς διὰ τοὺς αὐτοῦ νόμους.

(20) Über alle Maßen aber war die *Mutter* der Bewunderung und guten Gedenkens würdig. Sah sie doch mit an, wie sieben Söhne an einem einzigen Tag umkamen. Freudigen Muts ertrug sie es, weil sie Hoffnungen auf den Herrn setzte. (21) Einen jedoch ermahnte sie in der Sprache der Väter. Und indem sie ihre Frauenart mit Mannesmut aufrichtete[a], sprach sie zu ihnen: (22) „Ich weiß nicht, wie ihr in meinen Mutterleib gekommen seid[b]. Auch habe ich euch Odem und Leben[c] nicht geschenkt. Noch habe ich den Grundstoff zur Bildung eines jeden kunstvoll geordnet[d]. (23) Folglich wird euch der Schöpfer der Welt, der den Ursprung der Menschen kunstvoll gebildet[e] und die Entstehung aller bewirkt hat[f], Odem und Leben[g] erbarmungsvoll[h] wiedererstatten, welches ihr jetzt um seiner Gesetze willen fahren laßt.

a Vgl. 2 Makk 15,10; 4M 15,24; 16,2; auch 1 Clem VI 2.
b Die Existenz der *Leibesfrucht im Mutterleib* gilt als der Anfang des von Gott geschaffenen menschlichen Lebens im AT, NT und ihrer Umwelt; vgl. *D.N. Freedman - J. Lundblom, bätän,* in: ThWAT I 616-620. Nach der Weisheitsüberlieferung Israels ist der Mutterschoß der Ort, an dem Jahwe das Leben des Einzelnen schafft (Ps 139,13). Die Wunderhaftigkeit dieses Schaffens betonen bes. Ijob 10,8-12; Ps 139,13-15; Koh 11,5. Der Vers spielt auf Koh 11,5 an: „So wenig du *weißt,* wie der *Odem* in die Gebeine im *Leib* der Schwangeren *kommt,* genau so wenig *weißt* du vom Tun Gottes, der alles tut. Zum Motiv der Menschenschöpfung vgl. *R. Albertz,* Weltschöpfung.
c Anspielung auf den jahwistischen Schöpfungsbericht Gen 2,7; so auch *Zeitlin,* Maccabees 164 Anm. 22. Der *Odem* als Gabe Gottes macht den Menschen erst zum *lebendigen Wesen* (Gen 2,7); er kehrt im Tode zu Gott zurück; dazu s.o. 1 Anm. 15.
d Der Begriff στοιχείωσις ist einmalig und entspricht wohl dem bekannteren Begriff der griechischen Elementenlehre στοιχεῖον = Element, materielle Grundlage der Erscheinungswelt; vgl. Weish 7,17; 19,18; 4M 12,13; 2 Petr 3,10.12; übertragen auch Gal 4,3; Kol 2,8.20. Wie in 4M 12,13 wird hier eine

Vorstellung der griechischen *Elementenlehre* aufgegriffen. Dazu vgl. bes. *G. Delling*, στοιχεῖον, in ThWNT VII 670-687; *M. Dibelius - H. Greeven*, An die Kolosser, Epheser. An Philemon (HNT XII) Tübingen 3, 1973, 27-29; *E. Schweizer*, Die „Elemente der Welt", in: Verborum Veritas, Fschr G. Stählin, Wuppertal 1970, 245-259.

e Anspielung auf die in der ganzen Antike verbreitete Vorstellung vom geheimnisvollen Entstehen des Embryos im Mutterschoß; vgl. zum Judentum Ijob 10,8-12; Ps 139,13-16; Koh 11,5; Weish 7,2; 4 Esd 8,8f; TestNaphthebr 10; Pirque Aboth III 1; dazu *Meyer*, Anthropologie 33-45.

f Vgl. 2 Makk 13,14; 4M 5,25.

g Anspielung auf Wendungen im jahwistischen Schöpfungsbericht Gen 2,4.7 (Schöpfer der Welt, bilden, Odem, Leben).

h Zu μετ᾽ ἐλέους vgl. V. 6.

2.9 7,24-26

²⁴Ὁ δὲ Ἀντίοχος οἰόμενος καταφρονεῖσθαι καὶ τὴν ὀνειδίζουσαν ὑφορώμενος φωνὴν ἔτι τοῦ νεωτέρου περιόντος οὐ μόνον διὰ λόγων ἐποιεῖτο τὴν παράκλησιν, ἀλλὰ καὶ δι᾽ ὅρκων ἐπίστου ἅμα πλουτιεῖν καὶ μακαριστὸν ποιήσειν μεταθέμενον ἀπὸ τῶν πατρίων καὶ φίλον ἕξειν καὶ χρείας ἐμπιστεύσειν. ²⁵τοῦ δὲ νεανίου μηδαμῶς προσέχοντος προσκαλεσάμενος ὁ βασιλεὺς τὴν μητέρα παρῄνει γενέσθαι τοῦ μειρακίου σύμβουλον ἐπὶ σωτηρίᾳ. ²⁶πολλὰ δὲ αὐτοῦ παραινέσαντος ἐπεδέξατο πείσειν τὸν υἱόν.

(24) Antiochos aber meinte, sie verachte ihn, und argwöhnte, sie rede Schmähliches über ihn. Trotzdem redete er dem noch überlebenden Jüngsten nicht nur gut zu, sondern beteuerte ihm zugleich mit einem Eidschwur, ihn reich und glücklich machen zu wollen, falls er von den väterlichen Gesetzen abfallen würde. Ja, er würde ihn als Freund[a] behandeln und ihm Staatsämter anvertrauen. (25) Als jedoch der Jüngling in keiner Weise darauf einging, rief der König die Mutter zu sich heran und bedrängte sie, den Jungen zu seinem Besten zu beraten. (26) Erst nach längerem Zureden nahm sie es auf sich, den Sohn zu überreden.

a Titel eines höfischen Vertrauten, der mit hohen, im Rang abgestuften Staatsämtern verbunden erscheint. Vgl. z.B. 1 Makk 2,18; 3,38; 6,10.14.28; 7,8; 9,35; 10,16.19f.60.65; 11,26.33.57; 12,14.42f; 13,36; 14,39f; 15,17.28.32; 2 Makk 1,14; 8,9; 10,13; 11,14; 3M 2,23.26; 5,3.19.26.29.34; 6,23; 7,3.7; 4M

12,5.8; 3Esd 8,13; Josephus Ant XII 134; Bell I 658; II 81; Philo Flacc 40; Joh 19,12; dazu *G. Stählin*, φίλος, in: ThWNT IX 144-169 bes. 145f.152; *E. Bammel*, φίλος τοῦ καίσαρος, in: ThLZ 77 (1952) 205-210 bes. 205f.

2.10 7,27-29

²⁷προσκύψασα δὲ αὐτῷ χλευάσασα τὸν ὠμὸν τύραννον οὕτως ἔφησε τῇ πατρίῳ φωνῇ Υἱέ, ἐλέησόν με τὴν ἐν γαστρὶ περιενέγκασάν σε μῆνας ἐννέα καὶ θηλάσασάν σε ἔτη τρία καὶ ἐκθρέψασάν σε καὶ ἀγαγοῦσαν εἰς τὴν ἡλικίαν ταύτην καὶ τροφοφορήσασαν. ²⁸ἀξιῶ σε, τέκνον, ἀναβλέψαντα εἰς τὸν οὐρανὸν καὶ τὴν γῆν καὶ τὰ ἐν αὐτοῖς πάντα ἰδόντα γνῶναι, ὅτι οὐκ ἐξ ὄντων ἐποίησεν αὐτὰ ὁ θεὸς καὶ τὸ τῶν ἀνθρώπων γένος οὕτω γίνεται. ²⁹μὴ φοβηθῇς τὸν δήμιον τοῦτον, ἀλλὰ τῶν ἀδελφῶν ἄξιος γενόμενος ἐπίδεξαι τὸν θάνατον, ἵνα ἐν τῷ ἐλέει σὺν τοῖς ἀδελφοῖς σου κομίσωμαί σε.

(27) Sie beugte sich über ihn und redete zum Hohn für den grausamen Tyrann in der Sprache der Väter: „Mein Sohn, erbarme dich meiner, die ich dich neun Monate lang im Mutterschoß getragen, drei Jahre gestillt[a], bis zu diesem Alter für deine Ernährung und Erziehung gesorgt, mich um deine Pflege gekümmert habe[b]. (28) Ich bitte dich, liebes Kind, schau auf zum Himmel und hin zur Erde und sieh alles an, was darinnen ist[c]. Bedenke, daß Gott dieses nicht aus solchem, was (vorher) vorhanden war[d], geschaffen und daß das Menschengeschlecht den gleichen Ursprung hat. (29) Fürchte dich nicht vor diesem Henker da, sondern nimm deiner Brüder würdig den Tod auf dich, damit ich dich mit deinen Brüdern zusammen 'beim Erbarmen' (Gottes)[e] wiedergewinne[f].

a Vgl. Gen 21,8; 1 Sam 1,21-24; auch 2 Chr 31,16.
b *Bévenot*, Makkabäerbücher 205, und *Abel*, Maccabées 378, halten καὶ τροφοφορήσασαν für eine nachhinkende Glosse. Dagegen weist *Hanhart*, Text 24, mit Recht darauf hin, daß der Ausdruck „die vier vorangehenden, das mütterliche Umsorgen stufenweise schildernde Vorgänge zusammenfaßt und vertieft". Anspielung auf Dtn 1,31 möglicherweise; im NT noch Apg 13,18. Midr Echa rabbati zu Klgl 1,16 leitet aus V.27 ab, daß der Sohn noch ein Säugling ist. Auf Befehl des Herrschers wird das Kind, das anwesende Gelehrte auf 2 Jahre, 6 Monate und 6 1/2 Stunden schätzen, an der Brust der Mutter getötet. Ähnlich gibt ein jüdisch-arabischer Pijjut ein Alter von 3 Jahren an; vgl. *Hirschfeld*, JQR 6,135.

c Die Aufzählung faßt in Anlehnung an Gen 2,1 den Weltraum des atl Schöpfungsbildes zusammen. Die Formel hat ihren Sitz im Leben in der gottesdienstlichen Doxologie; vgl. z.B. Jes 44,23; Ps 89,12; 96,11; 146,6; bes. den Septuaginta-Zusatz Est 4,17b.c: „O Herr, Herr, du allmächtiger König! In deiner Gewalt steht das All. Niemand vermag dir zu widersprechen, wenn du Israel retten willst. Denn du hast den Himmel und die Erde und alles, was unter dem Himmel bewundert wird, geschaffen. Und Herr bist du von allem, und niemand vermag dir, dem Herrn, zu widerstehen".

d Die Textüberlieferung ist hier nicht einheitlich, obwohl sie sachlich kaum divergiert. Die gewichtigen Zeugen Unzialhandschriften A, V; altlateinische Handschriften B = Bologna 10/12.Jh. und P = Mailand 9/10. Jh. setzen die schwierige Leseart οὐκ ἐξ ὄντων (non ex his quae erant) voraus. Demgegenüber steht die Leseart ἐξ οὐκ ὄντων in der lukian. Rezension, Min 55.311 (lukian. Einfluß). Ihr entsprechen die arm. und syr. Übersetzung (lukian. Einfluß) und die altlateinischen Handschriften L = Lyon 9.Jh., X = Madrid 9.Jh., sowie Vulgata (ex nihilo). Auch Origenes liest so in seinem Johanneskommentar I 17 (GCS 10,22,14). Weitere Hinweise bei *W. Kappler - R. Hanhart*, Maccabaeorum liber II 77; auch bei *Abel*, Maccabées, 378; *Zeitlin*, Maccabees, 166. Vor allem ist *Schmuttermayr*, BZ 17,203-228, zu vergleichen.

Wir halten οὐκ ἐξ ὄντων für ursprünglich. Die Variante könnte durch eine syntaktisch und semantisch unbedeutende Vertauschung der Negation entstanden sein. *Schmuttermayr*, 222ff, weist jedoch darauf hin, daß die Stellung der Negation stärker zu werten ist, wenn man beachtet, daß die Negation in der Regel vor dem zu Negierenden steht (BlDebr § 433). Da οὐκ vorangestellt nicht nur das Partizip, sondern auch das Prädikat negieren kann (vgl. z.B. Apg 7,48), liegt es nahe, zu übersetzen: „Bedenke, daß er diese nicht gemacht hat aus seienden Dingen".

e Anspielung auf V.6.

f Eine schöne Parallele für die Haltung der Mutter bei Josephus Bell I 57-60.

2.11 **7,30-38**

³⁰†Ἄρτι† δὲ ταύτης καταληγούσης ὁ νεανίας εἶπε Τίνα μένετε; οὐχ ὑπακούω τοῦ προστάγματος τοῦ βασιλέως, τοῦ δὲ προστάγματος ἀκούω τοῦ νόμου τοῦ δοθέντος τοῖς πατράσιν ἡμῶν διὰ Μωυσέως. ³¹σὺ δὲ πάσης κακίας εὑρετὴς γενόμενος εἰς τοὺς Ἑβραίους οὐ μὴ διαφύγῃς τὰς χεῖρας τοῦ θεοῦ. ³²ἡμεῖς γὰρ διὰ τὰς ἑαυτῶν ἁμαρτίας πάσχομεν. ³³εἰ δὲ χάριν ἐπιπλήξεως καὶ παιδείας ὁ ζῶν κύριος ἡμῶν βραχέως ἐπώργισται, καὶ πάλιν καταλλαγήσεται τοῖς ἑαυτοῦ δούλοις. ³⁴σὺ δέ, ὦ ἀνόσιε καὶ πάντων ἀνθρώπων μιαρώτατε, μὴ μάτην μετεωρίζου φρυαττόμενος ἀδήλοις ἐλπίσιν ἐπὶ τοὺς οὐρανίους παῖδας ἐπαιρόμενος χεῖρα· ³⁵οὔπω γὰρ τὴν τοῦ παντοκράτορος

ἐπόπτου θεοῦ κρίσιν ἐκπέφευγας. ³⁶οἱ μὲν γὰρ νῦν ἡμέτεροι ἀδελφοὶ
βραχὺν ὑπενέγκαντες πόνον ἀενάου ζωῆς ὑπὸ διαθήκην θεοῦ πεπτώ-
κασι, σὺ δὲ τῇ τοῦ θεοῦ κρίσει δίκαια τὰ πρόστιμα τῆς ὑπερηφανίας
ἀποίσῃ. ³⁷ἐγὼ δὲ καθάπερ οἱ ἀδελφοὶ καὶ σῶμα καὶ ψυχὴν προδίδωμι
περὶ τῶν πατρίων νόμων ἐπικαλούμενος τὸν θεὸν ἵλεως ταχὺ τῷ
ἔθνει γενέσθαι καὶ σὲ μετὰ ἐτασμῶν καὶ μαστίγων ἐξομολογήσασθαι,
διότι μόνος αὐτὸς θεός ἐστιν, ³⁸ἐν ἐμοὶ δὲ καὶ τοῖς ἀδελφοῖς μου
στῆσαι τὴν τοῦ παντοκράτορος ὀργὴν τὴν ἐπὶ τὸ σύμπαν ἡμῶν γένος
δικαίως ἐπηγμένην.

(30) Kaum[a] hatte sie so geredet, da sagte der Jüngling: „Was zaudert
ihr? Dem Befehl des Königs gehorche ich nicht, dem Befehl des Gesetzes, das Mose unseren Vätern gab, gehorche ich. (31) Du aber, der
du gegen die Hebräer[b] alle Bosheit ausfindig gemacht hast[c], wirst den
Händen Gottes nicht entgehen. (32) Wir leiden nämlich um unserer
eigenen Sünden willen[d]. (33) Wenn aber der lebendige Herr zu
unserer Strafe und Erziehung[e] auch über uns für eine kurze Zeit[f]
zornig ist, so wird er doch 'seinen eigenen Dienern'[g] Versöhnung
schenken. (34) Du aber, verworfener und verbrecherischster[h] aller
Menschen, überhebe dich nicht in eitlem Trotz[i] und in nichtigen
Hoffnungen, der du an die Himmelskinder[j] Hand anlegst. (35) Noch
bist du nicht dem Gericht des allmächtigen Gottes, der alles sieht[k],
entronnen. (36) Unsere Brüder haben jetzt eine kurze Qual[l] auf sich
genommen und sind in den Bereich der göttlichen Verheißung des
ewigen Lebens[m] eingetreten. Du aber wirst durch Gottes Gericht die
gerechte Strafe für deine Überheblichkeit davontragen. (37) Ich aber
gebe nun wie meine Brüder Leib und Leben[n] für die väterlichen Gesetze hin und flehe[o] Gott damit an, er möge bald dem Volk gnädig sein[p] und dich unter Qualen und Schlägen zu dem Bekenntnis
bringen[q], daß er allein Gott ist[r]. (38) Und (ich flehe) daß bei mir und
meinen Brüdern[s] der Zorn des Allmächtigen zur Ruhe kommt[t], der
mit Recht gegen unser ganzes Geschlecht entbrannt ist[u].

a Wie in 2 Makk 9,5; 10,28 ist Ἄρτι statt Ἔτι zu lesen.
b 2 Makk 11,13; 15,37; s.o. 1 Anm. 30.
c Ahnlich Philo Flacc 20.73; Tacitus Ann IV 11; Paulus Röm 1,30.
d S.o. V.18 und u. 3. 1 Anm. 29.
e Vgl. 2 Makk 6,12.16; 4M 10,10; PsSal 8,26; 18,4; syrBar 13-15; 78,3-6. Der
Gedanke an Erziehung dürfte in diesem Vers Glosse des Epitomators oder

eines Späteren in Angleichung an 2 Makk 6,12-16 sein, da er sonst in 2 Makk nicht begegnet.

f Vgl. 2 Makk 8,1-5.

g Anspielung auf den in V.6 zitierten Toratext Dtn 32,36.

h 2 Makk 4,19; 5,16; 9,13; 15,32; 4M 4,26; 9,15.17.32; 10,10; 11,4; Sib 3,667; Josephus Ant XVIII 38; Ap I 236; 1 Clem XXVIII 1.

i Vgl. V.16.19.

j Der Text ist umstritten. Ἐπὶ τοὺς οὐρανίους παῖδας haben die Hauptunzialen wie A, V, auch Origenes. *W. Kappler – R. Hanhart,* Maccabaeorum liber II 78 (vgl. auch *Hanhart,* Text 40) halten diese Leseart für ursprünglich. Die lukianische Rezension und die Minuskeln 58.311.347 lesen τοὺς δούλους αὐτοῦ (τοῖς δούλοις α. 534.19.62). Dem entsprechen die lat., syr., arm. Übersetzung und Lucifer von Calaris. Die seltenere Leseart ist vorzuziehen. Ἐπὶ τοὺς δούλους αὐτοῦ bleibt als Interpretation oder bewußte Angleichung an V.33 zu deuten.
Zur Bezeichnung der Gesetzestreuen als *Himmelskinder* vgl. in Qumran 1QS IV 22; XI 8; 1QH III 22; fr 2,10; ferner aethHen 6,2; 13,8; 106,5 (Kinder der Engel des Himmels) als Bezeichnung von Engelwesen; dagegen aethHen 101,1, ähnlich 3M 6,28 (Söhne des himmlischen Gottes) Jub 1,25 (Söhne des lebendigen Gottes) Weish 2,13 (Kind des Herrn) 12,7 (Kinder Gottes) als Kennzeichnung des chasidischen Frommen wie an unserer Stelle. Im NT vgl. noch Mt 5,9; 1Joh 3,1.

k Vgl. Est 5,1a; 2 Makk 3,39; 3M 2,21; Arist 16; sachlich auch V.6.

l Vgl. die Betonung der Kürze der Zeit in der Leidensüberlieferung Weish 4,13; 1Petr 1,6; 5,10; MartPol II; ActPetr et Andr IV.

m Dazu s.u. 4.1 Anm. 71.

n Pax SBFLA 16,357-368, zieht die Leseart des Codex Alexandrinus τύχην statt ψυχήν vor. Die Wendung σῶμα καὶ ψυχή bezeichnet den Menschen in seiner Gesamtexistenz; vgl. 2 Makk 14,38; 15,30. Sie ist trotz griechischer Terminologie nicht dichotomisch zu verstehen.

o Zum Tod des Märtyrers als Fürbitte in sühnender Funktion s.o. 1 Anm. 16.

p Vgl. 2 Makk 8,2.5.

q Dazu s.u. 3.1 Anm. 23.

r Vgl. Dan 3,45; 4M 5,24; Arist 132; Philo All II 1-3; Josephus Ant I 156; 1 Tim 1,17; Jud 25; dazu *G. Delling,* ΜΟΝΟΣ ΘΕΟΣ: ThLZ 77 (1952) 468-476.

s Der Begriff *Brüder* schließt das ganze Gottesvolk ein.

t Dazu s.o. 1 Anm.16.

u Vgl. 2 Makk 8,5,

³⁹ἔκθυμος δὲ γενόμενος ὁ βασιλεὺς τούτῳ παρὰ τοὺς ἄλλους χειρίστως ἀπήντησε πικρῶς φέρων ἐπὶ τῷ μυκτηρισμῷ. ⁴⁰καὶ οὗτος οὖν καθαρῶς μετήλλαξε παντελῶς ἐπὶ τῷ κυρίῳ πεποιθώς. ⁴¹ἐσχάτη δὲ τῶν υἱῶν ἡ μήτηρ ἐτελεύτησεν.

⁴²Τὰ μὲν οὖν περὶ τοὺς σπλαγχνισμοὺς καὶ τὰς ὑπερβαλλούσας αἰκίας ἐπὶ τοσοῦτον δεδηλώσθω.

(39) Da geriet der König außer sich und ließ ihn noch grausamer martern als die anderen[a], weil er durch die Verspottung erbittert war[b]. (40) So schied auch dieser ohne Makel aus dem Leben, indem er ganz auf den Herrn vertraute[c]. (41) Zuletzt fand nach den Söhnen auch die Mutter ihr Ende[d]. (42) Damit sei nun genug erzählt von den „Schlachtfesten"[e] und den alles Maß übersteigenden Martern[f].

a In der Parallele 4M 12,19 kommt der Jüngste dem durch Suizid zuvor.
b Der Tyrann wird durch die Märtyrer besiegt; dazu s.u. 3.1 Anm. 26.
c S.o. V.14 mit Note b.
d Den Tod der Mutter erwähnt 2 Makk 7 nur nebenbei. Im Paralleltext 4M 14,11-18,24 wird ein langer Epilog auf die Qualen der Mutter, die dem Tod ihrer eigenen Kinder zusehen mußte, gehalten; vgl. zu diesem Motiv auch das Geschick der Kratesiklea bei Plutarch, Kleomene 38. Zu den jüdischen Legenden über den Tod der Mutter s.o. 1 Anm. 44.
e Auch in 2 Makk 6,7.21; kultischer Terminus, vgl. dazu *R. de Vaux,* Les sacrifices de porcs en Palestine et dans l' Ancien Orient, in: Von Ugarit nach Qumran, Fschr O. Eißfeldt (BZAW 77), Berlin ²1961, (250-265) 260 Anm. 82.
f Redaktioneller Vers des Epitomators; dazu s.u. 4 mit Anm. 3.

3 Erwägungen zur literarischen Gestalt

3.1 DAS INHALTLICHE PROFIL: MÄRTYRERBERICHT ODER LEHRERZÄHLUNG

H.W. Surkau hat mit seiner grundlegenden Untersuchung über „Martyrien in jüdischer und frühchristlicher Zeit" (1938) in Anlehnung an die These *K. Holls* von der Verwandtschaft christlicher und jüdischer Martyrien 2 Makk 7 als Urmodell[1] der Märtyrererzählung[2] angesprochen. In der Tat lassen sich hier Topik, Formelemente und Milieu dieser Gattung jüdischer und altkirchlicher Literatur[3] in auffallendem Maß nachweisen[4].

Vor Königen und höchsten Vertretern des Staates[5] leiden und sterben

---

[1] Vgl. auch *Hengel,* Judentum 181f. Zum Einfluß von 2 Makk 7 und der Parallele 4M 8-18 auf die altkirchlichen Märtyrerberichte vgl. bes. noch *Perler,* RivArC 25,47-72; *Frend,* Martyrdom 19ff; *v. Campenhausen,* Idee [2]1964; zuletzt *Berger,* Auferstehung 240f Anm. 17.

[2] Den Begriff „Märtyrer" möchten wir so allgemein fassen, daß für ihn der Aspekt des Leidens und Sterbens um des Glaubens und der Überzeugung willen konstitutiv ist. Der urchristliche Zeugenbegriff, den vor allem *v. Campenhausen,* Idee, herausgearbeitet hat, kann nicht aus dem Frühjudentum abgeleitet werden. Vgl. dazu auch *Michel,* ThBl 17,87-90; *H. Strathmann,* μαρτύς κτλ., in: ThWNT IV 477-520; *Brox,* Zeuge 17-109.172f.196.232; *Hengel,* Zeloten 261-263. In 2 Makk 7 und der jüdischen Märtyrerüberlieferung begegnet das christliche Wort μαρτυρία / μαρτυρεῖν (Zeugnis/Zeuge) nicht. Zur Wortgruppe vgl. *Strathmann* und *Brox,* ferner *Günther,* ΜΑΡΤΥΣ; *Beutler,* Martyria.

[3] Die Stellenangaben für die altkirchlichen Märtyrerberichte beziehen sich auf die Ausgabe *R. Knopf – G. Krüger,* Ausgewählte Märtyrerakten (SQS NF 3) Tübingen 1929.

[4] Vgl. dazu neben der in Anm. 1 genannten Literatur noch *Fishel,* JQR 37, 265-280.363-386; *Delehaye,* passions; *Stauffer,* Theologie 308-311; Vgl. auch einzelne Anmerkungen zur Übersetzung: c zu V. 1; f.g zu V. 2; a.b zu V. 3; d.e.f zu V. 4f; b zu V. 7; e zu V. 9; d zu V. 11; a zu V. 13; e zu V. 17; f zu V. 29.

[5] V. 1.3.12.15.24f.27.39. – Vgl. Jes 52,15; Ps 119,46; 2 Makk 6,18-31; 4M 5f; 8-18; AscIs 5,12; Mt 10,18; Ber 61b; jBer IX 5 (60a); Midr Mischle zu Spr 9,2; Git 57b; Midr Echa rabbati zu Klgl 1,16. In den altkirchlichen Martyrien sind es bes. die Provinzstatthalter.

die Frommen in Treue zum Gebot ihres Gottes[6]. Gern wird ihr jugendliches Alter dabei herausgestellt[7]. Alle Versuche, sie durch die Zwangsmaßnahme der Folter, die oft im Auspeitschen[8] und in Feuerqualen[9] besteht, zum Abfall zu bringen, scheitern an ihrer Entschlossenheit, eher den Tod auf sich zu nehmen, als ihrem Gott die Gemeinschaft aufzusagen[10]. Sie können in der von Gott verliehenen Kraft[11] die Schmerzen verachten[12], ja empfinden sie nicht einmal[13]. Sie ermuntern sich gegenseitig zum Durchhalten[14]. Ihr Lachen unter der Tortur als Ausdruck der Freude im Leiden[15] gewinnt sogar den Gegnern Achtung und Bewunderung ab[16], sodaß man sie zu bereden versucht, nicht nur durch Abfall oder „faule Kompromisse" das Leben

---

[6] V. 2.5.8f.23.30f.37. – Vgl. dazu o. 2 Note f zu V. 2.

[7] V. 25. – Vgl. 4M 8,1f.14.27; Josephus Bell VII 419; Mart Lugd I 53.

[8] V. 2. – Vgl. dazu o. 2 Note c zu V. 2.

[9] V. 5. – Vgl. dazu o. 2 Note f zu V. 5.

[10] V. 2.5.8f.23.30.37. – Vgl. 1 Makk 2,22; 4M 6,4.

[11] V. 12 – Vgl. 2 Makk 6,30; 4M 6.7.9.30; 7,12.16; 9,12.21.26; 13,3; Josephus Bell VII 417ff; MartPol XIII 3; MartLugd I 22.

[12] V. 10.12. – Dazu vgl. 4M 1,9; 5,37; 6,7.9; 7,14.16; 8,28; 9,5f.8.17.21.28f.; 10,14.16; 13,1; 14,1; 16,2; Philo von den *philosophischen Märtyrern* Anaxarchos und (dem Eleaten) Zenon in Prov II 11 und Prob 106ff; Josephus von den zelotischen Märtyrern in Ant XVIII 23f; Bell VII 418. Tacitus berichtet aus den Erfahrungen des jüdischen Kriegs mit aufständischen Zeloten von den Juden in Hist V 5: „animosque proelio aut suppliciis peremptorum aeternos putant; hinc generandi amor et moriendi contemptus". In den altkirchlichen Märtyrerakten oft; vgl. z.B. MartPol II 3; XIII 3.

[13] V. 10. – Vgl. AscIs 5,14; 4M 5,6; 7,14; 9,22.31; 11,26; Josephus Bell VII 417ff; Midr Mischle zu Spr 9,2; MartPol II 2.3; dazu *Hengel,* Zeloten 233f; *v. Campenhausen,* Idee 89ff. 154 Anm. 4.

[14] V.5f.20.29. – Vgl. 4M 9,23f; IgnRöm II 2; IV 2; VII 1; VIII 3.

[15] Vgl. V. 10; dazu Johannes Chrysosthomus: „Sie gehen zur Hinrichtung wie zu einem Fest" (MPG 50,707); ebenso Dionysius Alex nach Euseb HE VII 22,4. Die Freude im Leiden gehört zum Martyrium: 2 Makk 6,28; 4M 9,29.31; 10,15; 11,12.20; auch Mt 5,12; Lk 6,23; ferner 1 Petr 1,6; 4,13; Jak 1,2; Josephus Bell I 653 (herodianische Märtyrer); Bell II 153 (essenische Märtyrer); VII 418; syrBar 52,6; IgnRöm IV 1; ActCarp IV 38; PassPerp XVIII 1.2.4; MartPol XII 1; MartLugd I 34; Origenes Exhort mart XXII.XXIX. Vgl. dazu *Fishel,* JQR 37,384; bes. aber *Nauck,* ZNW 46,68-80.

zu retten[17], sondern auch Karriere am Hof zu machen[18]. Die Frommen lassen sich jedoch nicht durch Versuchung verführen. Sie bleiben ihrem Herrn treu. Sie stellen dem irdischen König den König des Himmels gegenüber[19], dem, der sich letzte Gewalt über Menschen anmaßt, den Schöpfer des Himmels und der Erde als den einzigen und wahren Herrn[20]. Die Märtyrer sagen den Tyrannen[21] Rache, Gericht und Strafe Gottes an[22], die auch am Ende die Feinde zur Gotteserkenntnis führt[23]. Sie verhöhnen die Peiniger und beschimpfen sie[24]. Ihre Größe erweist sich darin, daß die Gegner von ihnen zum Foltern und Töten aufgefordert werden müssen[25]. Im Erleiden der Qualen zei-

[16] V. 12.24. – Vgl. 4M 1,11; 5,6; 6,13; 8,4; 12,2; 17,17.23; Josephus Bell VII 417ff; Midr Mischle zu Spr 9,2; AZ 18a; PassPerp IX 1; MartPol II 2; III 1; XII 1; auch Mk 15,5; Apg 6,15; 7,54; 26,24-32. Dazu vgl. *Surkau,* Martyrien 75f.87; *Stauffer,* Theologie 316.

[17] V. 24. – Vgl. 2 Makk 6,21f; 4M 5,6; 8,4-11; 9,16; 10,1.13; 12,3-9; MartPol VIII 2; IX 3; X 1; Euseb HE IV 15,5.

[18] V.24. – Vgl. z.B. AscIs 5,8; 4M 8,6f; IgnRöm IV 1; VI 1; VII 1.3; MartPion V 3.

[19] V.9. – Vgl. MartPol IX 3; PassScil III-VI; PassMarcel Ia.

[20] V. 23.28. – Vgl. PassCypr I 1; ActFruct II.

[21] V. 27. – Vgl. Weish 6,9.11; 4M 1,11; 5,1.3.13; 6,1.21.23; 7,2.3.4.12.14.28; 9,1.3; 10,10.15f; 11,2.13.20.26; 12,2.11; 15,1.2; 16,14; 17,2.9.14.17.21.23; 18,5.20; Josephus Bell IV 166; MartPol II 4; von den philosophischen Märtyrern Philo Prob 106; Prov II 10.

[22] V.14.16f.19.23.31.34.36. – Vgl. AssMos 9,6f; 10,2; aethHen 47,1-4; AscIs 5,9; Offb 6,9-11; 4M 9,8f.24.32; 10,10f.15.21; 11,3.23; 12,11f.15.19; 18,5.22; AZ 18a; Midr Koh 3,17; MartPol XI 2. Vgl. dazu *Surkau,* Martyrien 48 mit Anm. 63; 79 mit Anm. 92-94; 84 mit Anm. 8; *Fishel,* Martyr 370 Anm. 119.

[23] V. 17.37; vgl. Lactanz De mortibus persecutorum XXXIII; IL.

[24] V. 9.14.16f.27.34.36f. – Vgl. AscIs 5,9f; 4M 9,1.3.7.15.17.30.32; 10,9-11; 11,4; 12,11.13; Josephus Bell II 153; von den philosophischen Märtyrern Philo Prob 109; ActAc IV; ActClaud I 8f; ActFruct VII 1; MartMarian V 8 -VI 1; MartMont XIX 6. Zur Tyrannenschelte als typischem Element der philosophischen Martyrien vgl. bes. *Berger,* Auferstehung 341ff Anm. 353-357.

[25] V. 10.30. – Vgl. z. B. 4M 6,23; 9,1; 10,4.16.19; ActCarp VI 44; ActClaud II 3; V 3; ActEupl II 4; MartIren IV 2.8; MartJust V 7; ActJul II 6; ActPhilor II 6.

gen sich die Frommen den Mächtigen überlegen; durch das Martyrium werden die Tyrannen in ihrem Kampf gegen Gott[26], dessen Repräsentanten die Märtyrer sind, besiegt[27]. Obwohl gegenüber der fordernden Staatsgewalt die Schuldlosigkeit der Märtyrer ausdrücklich festgestellt wird[28], verstehen die Zeugen selbst ihr Leiden als Strafe für eigene Schuld[29] und als Stellvertretung in der Strafe für die Schuld ihres Volkes bzw. ihrer Gemeinde[30].

In solchen Motiven zeigt sich 2 Makk 7 als Urmodell jüdischer und altkirchlicher Märtyrererzählung. Bei einem Vergleich mit diesen Berichten, zu denen die Eleasargeschichte 2 Makk 6,18-31 als älteste und nächste Parallele gehört, fehlt es jedoch auch nicht an Unterschieden, die nicht nur durch die inhaltliche und formale Entwicklung der Gattung im Lauf der Jahrhunderte bedingt erscheinen. So vermißt man bereits im Unterschied zur Eleasargeschichte (2 Makk 6,23.28.31) einen Hinweis auf die Vorbildhaftigkeit des Toragehorsams. Und nicht an den Brüdern, sondern an ihrer Mutter, von der kein Martyrium berichtet wird, rühmt der Verfasser in V.20 ganz allgemein Vorbildhaftigkeit. Es fehlen visionäre Erlebnisse während der Martern[31], der Dialog zwischen dem Märtyrer und seinem Richter, der Hinweis auf die Himmelssehnsucht der Leidenden[32], der szenische Hintergrund der tobenden Volksmassen[33]. Vor allen verantworten die Märtyrer in 2 Makk 7 mit ihren Reden weniger die Gesetzestreue oder ihren Glau-

---

[26] V. 34. – Vgl. Weish 2,10-20; 4M 11,8; auch 4M 11,8; u. 6.3.1. Anm. 68f; dazu *Surkau,* Martyrien 137; *Hengel,* Zeloten 274f.

[27] V. 2.10.24.39. – Vgl. z.B. 4M 1,11; 5,37f; 6,1.9f; 7,5; 8,1; 9,7f.17f.30; 10,16.19; 11,16.21-24; 15,14; MartPol XIX 2; MartLugd I 18f; ActPerp X 7; ActMax II 4; Lactanz De mortibus persecutorum XVI.

[28] V. 40. – Vgl. dazu 2 Makk 6,23; 4M 9,15; 10,10; 11,5; auch Mt 27,23.

[29] V. 18.32f. – Vgl. 1 Makk 1,64; 2 Makk 6,12-17; 4M 10,10; GenR 65 zu Gen 27,27; KohR 3,17 (87b); AZ 18a; Kallah 18c; Sifr Dtn § 307 zu 32,4 (133a); Sem VIII; Mekh Ex 22,22 (102a); vgl. *Lohse,* Märtyrer 73f.

[30] V. 18.37f. – Dazu s. o. 1 Anm. 16.

[31] Vgl. AseIs 5,7.14; 4M 6,5f.26; Apg 7,55; AZ 18a Bar; Ber 61b Bar; GenR 65,22; ActCarp IV 38; V 42; MartCon V; ActFruct V; PassPerp IV; VII; VIII; X; XI; MartPol II 2f; V 2; IX 1.

[32] In den altkirchlichen Martyrien an vielen Stellen.

[33] Vgl. z. B. 3M 4,11; MartPol VIII 3; IX-XVII; MartLugd I 47.

ben, dessentwegen sie sterben müssen, sondern sie halten dem König Predigten über ihre künftige Auferstehung (V.9.11.14.22f.29.36). Dem entsprechen auch Stil und inhaltliches Gefälle von 2 Makk 7. In der Schilderung des Handlungsablaufs wiederholt sich zunehmend ein schmales Vokabular, was dem erzählerischen Gerippe einen schematischen Charakter gibt. Dabei wird das Geschehen immer knapper berichtet, während sich die Monologe der Märtyrer ausweiten. Vor allem trägt der Zuspruch der Mutter, d.h. einer Randfigur des Geschehens, das Schwergewicht des Redeteils. Dem ganzen Komplex eignet ein eigenartiger Themenwechsel: die Worte des zweiten, dritten und vierten Sohnes wie der Mutter gelten dem Märtyrertod für die Tora und dem Thema der Auferstehung als Antwort Gottes auf dieses Sterben, die Ausführung des fünften, sechsten und siebten Sohns betreffen mehr die Zukunft des jüdischen Volkes und die Bestrafung des Königs. So beherrscht der Auferstehungsgedanke schwergewichtig den Inhalt der Märtyrererzählung, die fast nur noch die Funktion eines Anknüpfungspunktes für die Entfaltung einer Lehre erfüllt. Als der eigentliche und große Lehrer aber tritt die Mutter auf, an deren Ende die Erzählung mit V.41 gar nicht mehr im einzelnen interessiert erscheint. Die Mutter bringt die theologischen Argumente für das Bekenntnis der Söhne zur Auferstehung. Schon Johannes Chrysosthomus (354-407 n.Chr.) weist in seinen Homilien über den Text[34] darauf hin, daß sie nicht wie eine Mutter, sondern wie eine Philosophin spricht. Nur gelten ihre Worte nicht wie in der Überlieferung von den Märtyrerphilosophen der Antike in erster Linie dem Tyrannen und der zu verteidigenden Haltung und Lehre[35], sondern der theologischen Zurüstung des jüngsten Sohns zu seiner Hoffnung über den Tod hinaus.

Der lehrhaften Tendenz von 2 Makk 7 entspricht auch der gelegentlich angebrachte Disputationsstil, der gewöhnlich eine falsche Meldung abwehren will[36]. Sätze wie „meine nicht" oder „täusche dich nicht"

---

[34] PG 50, 616-628, z. B. 620.
[35] Dazu s. u. 3.3.1.
[36] *Nickelsburg,* Resurrection 95f.

(V.16.18.19) verraten apologetische Ausrichtung[37]. In den Monologen von 2 Makk 7 steht „irgendetwas" in Frage und zur Diskussion. Und dieses Umstrittene liegt nicht im Gesetz und seiner Gültigkeit, für das die Brüder den Märtyrertod auf sich nehmen, sondern im theologischen Thema der Auferstehung.

Die Zerdehnung des Erzählablaufs durch Entfaltung einer Lehre entspricht kaum dem Anliegen der jüdischen Märtyrerberichte, in denen es sonst auf den unabänderlichen Gesetzesgehorsam als frommes Werk par excellence[38] ankommt. Unser Text gibt sich als eine *Lehrerzählung* über das postmortale Geschick der gesetzestreuen Märtyrer. In ihr wird eine Theologie der Auferstehung ausgeführt. Die Analyse hat gezeigt, wie der Auferstehungsgedanke von Redeabschnitt zu Redeabschnitt weitergebracht und abgesichert wird. Die Erzählung vom Martyrium der sieben Brüder stellt nur den Rahmen für die Entfaltung einer frühjüdischen Auferstehungslehre.

3.2 ALTTESTAMENTLICH–FRÜHJÜDISCHE LITERATUR-PARALLELEN

Bei der Beantwortung der Alternativfrage „Märtyrerbericht oder Lehrerzählung?" könnte die Suche nach formalen und inhaltlichen Parallelen zu diesem literarischen Kunstwerk 2 Makk 7 helfen. Ihr Aufweis würde berechtigen, von einer literarischen Gattung zu sprechen. Wir gehen zunächst den alttestamentlich-jüdischen Bereich an.

Als eine Lehrerzählung gibt sich auch das *Jonabüchlein* aus dem 4/3. Jahrhundert v.Chr.. In dieser Novelle vom Propheten, den Jahwe zu einer theologischen Erkenntnis bringen will, zeigen sich didaktische Tendenzen, die aber erst am Ende und dort in der Form einer offenen Frage zum Ausdruck gebracht werden (Jon 4,10f). Sie will den Heilspartikularismus jüdischer Gruppen infragestellen und diese mit den Heidenvölkern unter dem Mitleid Gottes zusammenführen. Biogra-

---

[37] So *Gutman*, Fschr Lewy 30-32. Hier wird auf eine Auseinandersetzung mit dem Hellenismus geschlossen. Er sieht in den Begriffen ἀλάστωρ (Verbrecher V. 9), θεομαχεῖν (gegen Gott kämpfen. V. 19) und im Thema der Hybris (V. 34) eine Front gegen griechische Religiosität angezeigt.

[38] *Brox*, Zeuge 173.

phisches Gerüst und didaktische Tendenz haben 2 Makk 7 und das Jonabuch gemeinsam, doch das Formelement der in die Biographie eingeschalteten Monologe, die Direktheit in der Entfaltung der Lehre und das inhaltliche Motiv vom Leiden des Gerechten fehlen in der Jonanovelle.

Eher ließe sich als Parallele das *Hiobbuch* aus nachexilischer Zeit nennen. Hier dient die Erzählung eines persönlichen Geschicks als Rahmenhandlung für Lehrentfaltung. Die Monologform prägt das Buch, die Themen des leidenden Gerechten und der Theodizee begegnen ebenfalls. Jedoch wird die Rechtfertigung des Hiob noch innergeschichtlich erwartet; der Gedanke der postmortalen Rehabilitierung des Frommen bleibt Wunscherwartung (Ijob 19,23ff). Der Gegner des Gerechten ist vermeintlich Gott selbst. Während man in dem umfangreicheren Hiobbuch von einem biographischen Rahmen (Ijob 1-3; 42) sprechen muß, eignet der knappen literarischen Einheit 2 Makk 7 ein biographisches Gerippe.

Vom Motiv des verfolgten und getöteten Gesetzestreuen her bietet sich vor allen der erste Teil der *Weisheit Salomos* aus dem 1. Jahrhundert v. Chr. als Parallele an. Weish 2-5 zeichnet den Konflikt zwischen dem Gesetzestreuen und dem Gottlosen. Es begegnet hier die Hoffnung auf ein postmortales Leben bei Gott als Lohn der Treue des getöteten Gerechten (2,1.10.12.19f; 3,1-9; 4,7.16; 5,5.15f). Aus den Monologen der Gottlosen wird erkennbar, daß der Märtyrer zu ihnen über seine Hoffnungen gesprochen hat. Der Martyriumsgedanke und die Topik in Weish 3,1-9 verbindet 2 Makk 7 und Weish 2-5[39]. Dagegen bestehen formale Unterschiede. Wir haben es hier nicht mit einer Lehrerzählung zu tun, sondern mit einer weisheitlichen Mahnrede; das biographische Gerippe fehlt. Die Gottlosen halten die Reden, aus denen wir den Auferstehungsglauben der leidenden Gerechten erfahren. So hilft uns das Weisheitsbuch wohl in der Frage nach der Traditionsgeschichte des Motivs von der himmlischen Auferstehung[40], nicht aber beim Problem der Gattung von 2 Makk 7.

Das gilt auch für das *Stephanusmartyrium* Apg 6,8-7,60 im Neuen Testament. Hier verbinden sich Rede und Märtyrererzählung. Wie im

---

[39] Dazu s. u. 6.2.
[40] Ebd.

Hiobbuch bildet die Biographie nur den Rahmen, nicht das Gerüst des gedanklichen Gefälles. Die Märtyrerrede erscheint lose im Erzählungszusammenhang verzahnt, so daß manche Kommentare den Verdacht äußern, daß es sich bei ihr um einen lukanischen Einschub handelt. Wenn auch das Ende der Märtyrerrede in Apg 7,55 den Blick auf die postmortale Rechtfertigung und Erhöhung des Märtyrers nimmt, geht es in ihrem Hauptbestand und -anliegen nicht um dieses Thema.

Märtyrerstoff und Wechsel von Erzählung und Lehre in Form der Rede hat 2 Makk 7 vor allem mit dem *4. Makkabäerbuch* aus dem 1. Jahrhundert n.Chr. [41] gemeinsam. Diese Schrift bereitet in deutlicher Bezugnahme auf 2 Makk 6 und 7 und andere Überlieferungen den Erzählstoff für die philosophische Frage auf, ob die fromme Vernunft über die Triebe der Menschen Herrscherin sein kann. Das Schwergewicht der Darstellung liegt hier tendenzbedingt in der Entfaltung der Leidensfähigkeit der Märtyrer; die Folterungen werden in auffallender Breite geschildert. Die Lehrintention dokumentiert sich nicht nur in den Reden der Brüder, sondern vor allem in zahlreichen Reflexionen des Verfassers. Besondere Beleuchtung und Würdigung erfährt die Mutter im Unterschied zu 2 Makk 7. Dem Martyrium ihrer Kinder zusehen zu müssen, gilt als größtes Leiden, d.h. im Sinn von 4 Makk als stärkster Erweis der Herrschaft der Vernunft über die Triebe (4M 14,11-17,10). Das philosophische Gewand der jüngeren Diatribe erscheint der Schrift nur oberflächlich übergeworfen. Möglicherweise bringt das Buch keine fiktive, sondern eine wirklich gehaltene Ansprache in Gestalt einer Epitaph-Rede[42] und hat der Stoff in seiner Zerdehnung einen Sitz im Leben in der Predigt am Märtyrerfest[43] für die sieben Brüder und ihre Mutter in Antiochia[44].

---

[41] Zur Datierung s. o. 1 Anm. 36.

[42] *Lebram,* VigChr 28,81-96.

[43] Vgl. einige Anspielungen in 4M 1,10 „um diese Zeit"; 3,19 „die gegenwärtige Festzeit gebietet uns . . ."; 14,9 „Wir, wenn wir heute von den Leiden der jungen Männer hören, sind entsetzt"; vgl. *H. Thyen,* Der Stil der jüdisch-hellenistischen Homilie (FRLANT 65) Göttingen 1955, 12f; *Ruppert,* Der leidende Gerechte 107; *Hadas,* Maccabees 103f.

[44] S. o. 1 Anm. 31-34.

Die literarische Abhängigkeit von 2 Makk 7 darf nun aber in der Frage nach der Gattung nicht gering veranschlagt werden. Die Übereinstimmungen helfen uns deshalb kaum weiter.

Am ehesten vergleichbar erscheinen der späte *Talmudtraktat Gittin* 57b und der *Klageliedermidrasch Echa rabbati* zu 1,16. Beide behandeln den gleichen Erzählstoff, wobei zumindest Git 57b keine Abhängigkeit von 2 Makk 7 zeigt. Die Texte setzen offensichtlich die ausgeuferte mündliche Überlieferung des biographischen Gerippes, die auch dem 4. Makkabäerbuch nicht unbekannt ist, voraus. Der Erzählgang[45], die strenge thematische Ausrichtung, die monologische Struktur, die didaktische Tendenz und der Umfang eignen Git 57b, Midr Echa rabbati zu Klgl 1,16 und 2 Makk 7 in gleicher Weise. Der Klageliedermidrasch hat die Form einer Diskussion zwischen dem Herrscher und den einzelnen Brüdern. Die Darstellung des Martyriums wird in beiden rabbinischen Texten noch schematischer; am Leiden der Märtyrer haftet kein Interesse mehr, wichtig allein bleibt

---

[45] Im Talmudtraktat Git 57b richtet sich das Interesse des Zusammenhangs auf Ps 44,23 „Deinetwegen werden wir täglich getötet". Der Amoräer R. Jehuda b. Jechezqel (gest. 299 n.Chr.) bezieht diesen Satz auf die sieben Brüder und ihre Mutter. Diese werden dem Kaiser vorgeführt mit dem Ansinnen, den Götzen anzubeten, d. h. das erste Gebot zu brechen. Die nun folgende Lehrdiskussion handelt die Vorführung, das Angebot, die Erwiderung mit Berufung auf die Schrift und die Abführung zur Todesstrafe noch schematischer als 2 Makk 7 ab: . . . Man führte den . . . vor den Kaiser uns sprach zu ihm: „Bete den Götzen an". Dieser erwiderte: „Es heißt in der Schrift (Schriftzitat) . . .". Da führte man ihn hinaus und tötete ihn.

Folterszenen werden nicht mehr berichtet. Es geht wirklich nur um Lehrdiskussion. Es kommt in ihrem Verlauf zu einer Zusammenstellung von Schriftzitaten, die den Gehorsam gegenüber dem ersten Gebot begründen sollen: Ex 20,2f; 22,19; 34,14; Dtn 6,4; 4,39; 26,17f. Lediglich das Geschehen um den jüngsten Bruder und die Mutter wird wie in 2 Makk 7 breiter geschildert. Der jüngste verbindet mit dem Zitat von Dtn 26,17f das Bekenntnis zur Erwählung Israels aus den Nationen durch Jahwe, die das Gottesvolk zum Monojahwismus verpflichtet. Es wird von einem geschickten Verführungsversuch berichtet, der dem jüngsten die Rettung des Lebens ermöglichen soll. Der Kaiser beabsichtigt seinen Siegelring zu Boden zu werfen. Das höfliche Aufheben des Ringes durch den Toratreuen soll den Anschein einer Proskynese vor dem Kaiserbild erwecken. Als man den Märtyrer nach Abweisung des Ansinnens zur Hinrichtung

ihr Zeugnis. Dieses handelt das Thema der göttlichen Verehrung des Kaiserbilds angesichts der monotheistischen Verpflichtung Israels ab.

führt, bittet die Mutter, ihn küssen zu dürfen. In Anspielung auf Gen 22 sagt sie: „Kinder geht und sagt eurem Vater Abraham: Du hast *einen* Altar errichtet, ich aber habe *sieben* Altäre errichtet". Auch 4M 13,12; 14,20; 16,20; 18,20 stellt das Martyrium der Söhne und das Leiden der Mutter, das in ihrer Anteilnahme besteht, als antitypische Überbietung des Opferganges Abrahams dar.

Im Midrasch Echa rabbati zu Klgl 1,16 „Darüber weine ich" stimmt die Darstellung des Vorgangs im wesentlichen mit Git 57b überein. Der Midrasch weiß, daß die sieben Brüder in sieben Einzelzellen gesperrt auf ihr Geschick warten mußten. Er nennt als Namen der Mutter Mirjam, Tochter Tanchums. Das Grundschema des Berichts ist ähnlich starr wie in Git 57b: Als er (sc. der Kaiser) den . . . vor sich führen ließ, sprach er zu ihm: „Bücke dich vor dem Bild!". „Bewahre", antwortete dieser, „ich bücke mich nicht vor dem Bild". „Warum nicht?". „Weil in unserem Gesetz geschrieben steht. . . (Schriftzitat) . . .". Er ließ ihn sofort hinausbringen und erschlagen. Nach diesem Modell läuft das Martyrium der ersten drei Brüder ab; dann wird das Schema gekürzt. Die zitierten Schriftstellen stimmen fast überein. Das dritte und vierte Zitat von Git 57b erscheinen in umgekehrter Reihenfolge (Ex 34,14; 22,19). Beim sechsten Bruder nennt der Midrasch statt Dtn 4,39 allerdings Dtn 7,21. Der siebte Bruder spricht jedoch Dtn 4,39 zusätzlich. Das Martyrium des siebten Bruders wird durch den Midrasch erweitert. Der Versuch des Kaisers, den Märtyrer mit dem Hinweis auf das Unerfülltsein seines Lebens durch den frühen Tod zu retten, wird mit Ex 15,18 und Ps 10,16 beschieden. An die Versuchung durch das Werfen des Siegelrings schließt sich ein Zwiegespräch zwischen Zeuge und Kaiser über die Gottesfrage an. Es beginnt mit der philosophischen These des Märtyrers, daß die Welt durch ihre Existenz auf einen Herrn hinweist, der sie regiert. Der Gott der Heiden und der Gott des Zeugen werden gegenübergestellt. Schriftzitate sollen nachweisen, daß die Götter der Heiden weder sprechen, noch sehen, hören, riechen, fassen und gehen können (Ps 115,5-7), während der Gott Israels dies alles vermag (Ps 33,6; Sach 4,10; Mal 3,16; Gen 8,21; Jes 48,13; Sach 14,4; Ijob 37,2). Der Kaiser hält dem Märtyrer entgegen, daß sein Gott ihn dann auch wie einst die Männer in Dan 3 retten könne. Der Märtyrer entgegnet, daß der Kaiser im Unterschied zu Nebukadnezar eines solchen Wunders nicht würdig sei. „Und was uns betrifft, so ist unser Leben dem Himmel verwirkt. Wenn du uns nicht erschlägst, hat der Allgegenwärtige zahlreiche Henker. Es gibt Bären, Wölfe, Leoparden und Skorpione genug, um uns anzufallen und zu töten (vgl. KohR 3,17 [87b]). Aber am Ende wird der Heilige – gepriesen sei Er – unser Blut an dir rächen".

Das Geschehen spielt nun in den Tagen Hadrians (117-138 n.Chr.)[46]; die Stelle des Seleukidenkönigs nimmt jetzt der römische Herrscher ein. Im Midrasch schlägt sich der Konflikt des Judentums mit den Römern nach der Zerstörung Jerusalems 70 n.Chr. nieder. Wieder wird an der Erzählung vom Martyrium der sieben Brüder eine theologische Frage abgehandelt; an die Stelle des Auferstehungsthemas ist das Problem des Herrscherkults im Konflikt mit dem ersten Gebot getreten. In konsequenter Fortsetzung des Ansatzes von 2 Makk 7 werden aus den Märtyrern „gesetzeskundige Lehrer, die sogar dem Kaiser antworten können" *(Surkau)*[47]. Auf den ersten Blick befremdet natürlich, daß an die Stelle der sich entwickelnden theologischen Rede eine Aneinanderreihung von Schriftzitaten tritt[48]. Doch begegnen wir hier der typischen Art rabbinischer Lehrdiskussion. So bieten die späten rabbinischen Texte Git 57b und Midr Echa rab-

---

Bevor der letzte umgebracht wird, erhält ihn die Mutter noch einmal als Kleinkind, das sie säugt (!), an die Brust gelegt. Ihre Bitte vor dem Kind sterben zu dürfen, wird von dem Kaiser höhnisch mit Hinweis auf Lev 22,28 verweigert. Sie antwortet: „Du unaussprechlicher Tor! Hast du schon alle Gebote erfüllt außer diesem einen!". An dieser Stelle steht nun der Vergleich mit dem Opfer Abrahams. Nach der Darstellung des Midrasch hat die Mutter mehr als Abraham vollbracht: bei ihr ist zur Tat gekommen, was Abraham erspart blieb. Das Kind wird im Alter von 2 Jahren, 6 Monaten und sechseinhalb Stunden an der Brust der Mutter getötet. Am Schluß legt der Midrasch die Anfechtung aller Judenpogrome in den Mund der staunenden Völker: „In jener Zeit riefen alle Nationen der Erde aus: ‚Was tut ihr Gott für sie, daß sie allezeit getötet werden!'". So endet der Bericht mit dem Zitat von Ps 44,23, von dem Git 57b ausgeht. Die Mutter verfällt dem Wahnsinn und stürzt sich vom Dach zu Tode. In der Deutung des Auslegers erfüllt sich im Geschick der Mutter Jer 15,9: „Es trauert die, die sieben geboren hat". Wie in Git 57b antwortet darauf eine Himmelsstimme mit Ps 113,9: „Es freue sich die Mutter ihrer Kinder".

[46]   So auch die auf Echa rabbati zurückgehende Version des Midr Tana debe Elijjahu 30; vgl. dazu *Bacher,* JJGL 4,79.

[47]   Martyrien 68 Anm. 41.

[48]   S. o. Anm. 45.

bati zu Klgl 1,16, der den Talmudtext gekannt und benutzt hat[49], die nächsten Parallelen jüdischer Literatur zu 2 Makk 7. Dürfen wir in Anbetracht dieser Parallelen von einer martyrologischen Lehrerzählung sprechen?

3.3. 2 MAKK 7 UND DIE ANTIKE LITERATUR

3.3.1 DIE MARTYRIEN DER PHILOSOPHEN

In 2 Makk 7 und den zuletzt genannten Texten zeichnet sich eine grundlegende Modellszene ab: der Konflikt des theologischen Zeugen mit dem Herrscher. Man denkt bereits bei 2 Makk 7 besonders in Blick auf die Mutter und den jüngsten Sohn an den Philosophen „der für seinen Gott und die Wahrheit lehrend und leidend zu werben hat" *(v.Campenhausen)*[50]. Der Gegensatz zwischen dem Herrscher und dem Märtyrer zeigt sich besonders in 2 Makk 7,9.16-19.24.34-37 und nimmt dort bereits die Form der „Tyrannenschelte" an. Stets ist es der König, der die freie Meinung knechtet. Aber der mutige, seiner Überzeugung treue Philosoph läßt sich nicht einschüchtern. Im Bewußtsein der unerschütterlichen Überlegenheit seines Geistes achtet er keine Qualen[51], trägt seine Lehren vor[52] und wird so zum Tatzeugen[53]. Die Gattung der philosophischen Martyrien scheint aus dem helleni-

---

[49] Die Gemeinsamkeiten zwischen Git 57b und dem Midrasch bis hin zur zur Verwendung der gleichen Schriftzitatenabfolge sind groß; vgl. auch *Surkau*, Martyrien 56. Zugleich ist anzunehmen, daß der Midrasch auch 2 Makk 7 als Vorlage benutzt hat. So könnte z. B. das Alter des jüngsten Sohnes und seine Säugung vor dem Tode unter Bezugnahme auf 2 Makk 7,27 konstruiert worden sein.

[50] Idee 2 (zitiert aus einem anderen Zusammenhang).

[51] *V. Campenhausen*, Idee 153f.

[52] „Der Märtyrer ist kein Zeuge im ursprünglichen Sinn des Wortes mehr. Er braucht darum . . . keine Hörer, sondern höchstens Zuhörer, die sich seine weisen Reden anhören" meint *v. Campenhausen,* Idee 152, von einigen späten altkirchlichen Martyrien, bei denen der Einfluß dieser Gattung naheliegt.

[53] Zum Begriff des „Tatzeugen" vgl. Epiktet Diss I 29,56.

stischen Bereich zu kommen. Wir begegnen ihr auch bei *Philo von Alexandria,* dem jüdischen Religionsphilosophen aus der Zeit Jesu. In der Texterklärung wurde schon auf Parallelen bei Philo hingewiesen[54]. In Anlehnung an die Idealgestalt des Märtyrerphilosophen zeichnet Philo in Prob 25 das Bild des freien Mannes[55]. Er zitiert dabei in Aufnahme eines auch sonst gern von ihm herangezogenen Euripides-Textes[56] eine Liste von Foltern, die denen von 2 Makk 7 nicht nachsteht. Das Motiv des Gehorsams begegnet hier ebenso wie die Aufforderung an den Tyrannen, die Mißhandlungen zu vollziehen. In Prob 106-109 berichtet Philo ausführlich über das Martyrium des Parmenidesschülers Zenon von Elea (ca. 490-430 v.Chr.) und des Demokritschülers Anaxarchos (5. Jahrhundert v.Chr.). Parallelüberlieferungen finden wir in Prov II 10f und Det 176 (ohne Nennung der Namen), so daß beide Philosophen bei Philo zu den Kronzeugen von Standhaftigkeit und Leidensfähigkeit zählen. Der freie Mann läßt sich nicht zum Sklaven des Tyrannen machen:

„Waren etwa Anaxarchos oder Zenon von Elea Heroen oder entstammen sie den Göttern? Als sie von rohen, von Natur aus grausamen *Tyrannen,* die durch *Ärger über sie* noch roher wurden, mit raffiniert ersonnenen *Mißhandlungen gepeinigt wurden,* betrachteten sie mit großer *Geringschätzung* alle Schrecknisse der *Folter* als ein Nichts, als ginge es nicht um ihren Körper, sondern um die Körper von Fremden oder Feinden. Denn sie hatten von Anfang an ihre Seele daran gewöhnt, aus Liebe zur Erkenntnis Abstand zu nehmen von der Gemeinschaft mit den Affekten, dafür aber nach Bildung und Weisheit zu streben. So hatten sie sie zu einem Fremdling gegenüber dem Körper gemacht, so aber veranlaßt, Hausgenosse der Einsicht, Tapferkeit und der anderen Tüch-

---

[54] Dazu s. o. 2 Note e zu V. 17; Note c zu V. 31; Note r zu V. 37; Note b zu V. 39; ferner zu V. 10.12 s. 3.1. Anm. 12; V. 27 3.1. Anm. 21; zur Tyrannenschelte in V. 9.14.16f.27.34.36f s. 3.1. Anm. 24.

[55] Vgl. etwa zu V. 30 Philo Prob 25: „Daher wird er auch nicht jedem, der ihm Befehle gibt, gehorchen, selbst wenn dieser Mißhandlungen und Folter androht und die schrecklichsten Drohungen ausstößt, sondern wird ihm frei und offen die Worte entgegenschleudern: ‚Brate, verbrenne mein mein Fleisch, trinke dich voll an meinem dunklen Blut. Denn eher werden die Sterne unter die Erde fallen und die Erde sich zum Himmel emporschwingen, als du von mir ein Schmeichelwort zu hören bekommst'"; Übers. *K. Bormann,* Philo VII 10f. Die wörtliche Rede ist ein Euripideszitat (*Nauck* 688).

[56] S. o. Anm. 55; ferner Prob 99; All III 202; Jos 78.

tigkeiten zu sein. Als der eine auf der *Folter verhört* und *gepeinigt* wurde, damit er etwas von seinen Geheimnissen verrate, erwies er sich deshalb als stärker als *Feuer* und *Eisen,* die stärksten Dinge in der Natur. Er biß sich die *Zunge* ab und spuckte sie gegen die Folterer, damit er nicht einmal gegen seinen Willen unter *Zwang* etwas sagte, was besser verschwiegen würde. Der andere aber sagte mit der größten Geduld: ‚Zerstöre die Haut des Anaxarchos, denn den Anaxarchos selbst kannst du nicht zerstören'!" (Prob 106-109)[57].

Natürlich bestehen zwischen dem Philobericht und 2 Makk 7 Unterschiede. Zenon ist nicht der Philosoph, der seine Lehre vorträgt, sondern der Tyrannenfeind, der nach mißglücktem Attentat verhindern will, unter der Folter die Namen der Mittäter zu verraten. Es geht auch nicht um Vermittlung theologischer oder philosophischer Lehre. Auf der anderen Seite besticht die Übereinstimmung in der Topik, wie sie oben herausgestellt wurde, und im szenischen Ablauf. Dies wird noch deutlicher, wenn man das 4. Makkabäerbuch, in dem die gleiche Grundstruktur vorliegt, traditionsgeschichtlich mit im Blick hat. In den Worten des Anaxarchos begegnet sogar der Unsterblichkeitsgedanke, die griechische Entsprechung zum jüdischen Auferstehungsglauben (Prob 109). Noch klarer tritt er in der Interpretation des Philo Prov II 11 heraus: „Denn derjenige konnte nicht zerschmettert werden, der des göttlichen Anteils würdig geworden ist und jedes menschliche Machwerk überragt". Philo befindet sich mit der Erwähnung der beiden Philosophen in einer antiken Tradition, die beide Gestalten als Vorbilder nennt[58]. So erwähnt diese auch *Cicero* in Tusc II 51: „Dem Geiste sollen edle Vorbilder vorschweben: Zenon von Elea, der lieber alles erduldete, als die zum Sturz der Tyrannis Mitverschworenen zu verraten; man denke an den Demokriter Anaxarchos, der, als er in Kypros in die Hände des Königs Timokreon gefallen war, vor keiner Art der Folter um Gnade bat oder zurückschreckte". In Tusc I 102 weist Cicero auf Theodoros Atheos (um 300 v.Chr.) hin: „Theodoros von Kyrene, einen nicht unberühmten Philosophen, bewundern wir nicht? Als ihm König Lysimachos das Kreuz androhte, sagte er: ‚Drohe doch bitte deinen Purpurträgern da mit solchen Schrecken: dem Theodoros ist es gleich, ob er am Boden oder hoch oben verfault'".

---

[57] Übers. *K. Bormann,* Philo VII 31.
[58] Vgl. die Hinweise bei *L. Früchtel,* Philo VII 327 Anm. 2f; 328 Anm. 1.

Vor allem in den *Dissertationes Epiktets* (ca. 100-130 n.Chr.)[59] begegnet uns das Ideal des furchtlosen philosophischen „Tatzeugen", der unerschütterlich für seine Meinung und Lehre einsteht, auch wenn der Tyrann zu den Mitteln seiner Macht, d. h. Einschüchterung, Folter und Tötung, greift.

Literatur geworden ist dieses Gegenüber von Philosoph und Tyrann in den sogenannten *Heidnischen Märtyrerakten,* Schriften aus dem hellenistischen Ägypten des 2. Jahrhunderts n.Chr., die aber vorchristlichen Ursprungs sind[60]. Sie enthalten Berichte über Verhandlungen griechischer Gesandtschaften Alexandrias mit dem römischen Kaiser, die mit Gerichtsurteilen, meistens der Verhängung der Todesstrafe, gegen die Alexandriner enden. Die Märtyrerakten „schildern das mutige Verhalten vor dem Tribunal des Kaisers und haben die Tendenz der Verherrlichung der griechischen Gesandten" *(Brox)*[61].In ihrer Unerschrockenheit schmähen die Vertreter Alexandrias todesmutig den Herrscher und werfen ihm Ungerechtigkeit und unlauteres Verhalten vor.

Man kann sich 2 Makk 7 ohne das Bild des philosophischen Märtyrers kaum vorstellen. Topik und Milieu der Darstellung gleichen sich sehr. Die Philotexte und die heidnischen Märtyrerakten zeigen, wie solche Überlieferungen durchaus Literatur werden können. Aber auch die Unterschiede zu 2 Makk 7 lassen sich nicht übersehen. Die heid-

---

[59] Vgl. z. B. Diss I 1,21-25; II, 13,16-27; IV 1,138; 7,1ff.25ff.31ff; dazu *Brox,* Zeuge 178-182; *Beutler,* Martyria 71f.

[60] Texte bei H. A. *Musurillo,* The Acts of the Pagan Martyrs. Acta Alexandrinorum, Oxford 1954. Literatur: *U. Wilcken,* Alexandrinische Gesandtschaften vor Kaiser Claudius: Hermes 30 (1895) 481-498; *ders.,* Zum Alexandrinischen Antisemitismus: ASGW 27 (1909) 781-839; *A. Bauer,* Heidnische Märtyrerakten: APF 1 (1901) 29-47; *J. Geffcken,* Die Acta Apollonii: NGWG 1904, 262-284; *ders.,* Die christlichen Martyrien: Hermes 45 (1910) 481-505; *R. Reitzenstein,* Ein Stück hellenistischer Kleinliteratur: NGWG.PH 1904, 309-332; *ders.,* Bemerkungen zur Martyrienliteratur I: NGWG.PH 1916, 417-467; *ders.,* Der Titel Märtyrer: Hermes 52 (1917) 442-452; *E. Meyer,* Ursprung und Anfänge des Christentums, Bd. 3, Stuttgart-Berlin 1923, 539-548: *A. v.Premerstein,* Alexandrinische Geronten vor Kaiser Gaius, Gießen 1939; *Brox,* Zeuge 175-182. Weitere Literaturhinweise bei *Meyer* 541 Anm. 1; *v.Campenhausen,* Idee 153 Anm. 5; *Brox* 175 Anm. 1.

[61] *Brox,* Zeuge 176.

nischen Philosophen entfalten in der Regel nicht ihre Lehren vor dem Tyrann. Die Überlieferung zeigt sich nicht an ihren Worten, sondern an ihrer Standhaftigkeit und Schmerzunempfindlichkeit interessiert. In 2 Makk 7 aber geht es um einen theologischen Traktat über die Auferstehung.

3.3.2 Die Consolationes

Das Motiv der Todestranszendierung begegnet in der griechisch-römischen Literaturgattung der *Consolatio* (Trostschrift) über den Tod naher Angehöriger. Die *P. Ovidius Naso* zugeschriebene *Consolatio ad Liviam* (9 v.Chr.)[62], ein Gedicht auf den Tod des Drusus, schöpft aus der Fülle der antiken Consolationentechnik[63]. Zu ihren Zügen gehört neben allen pessimistischen Argumenten wie denen der allgemeinen Sterblichkeit und der Erfüllung des Lebens als Existenzbedingungen auch eine Reihe von Aspekten, die sich mit 2 Makk 7 berühren. Hier spielt das besondere enge Verhältnis der Mutter zum Kind eine Rolle. Hier wird eine bewußte Jenseitserwartung geäußert: Drusus geht nach seinem Tod in die Gefilde der Seligen ein und wird von seinen Ahnen freudig als ein Mann, der sich ihrer wert erzeigt hat, begrüßt (V 345ff). Seine Selbstbeherrschung und Standhaftigkeit verdienen Bewunderung (V 345ff). Solche Themen finden wir auch in der *Consolatio Plutarchs Ad Uxorem* auf den Tod seiner Tochter Timoxena[64]. Der Unsterblichkeitsglaube wird hier aus den Dionysosmysterien aufgenommen. In der Consolatio des gleichen Philosophen *Ad Apollonium*[65] taucht das Jenseitsmotiv allerdings nur verhalten unter dem Stichwort der Reise auf. Zu nennen bleibt schließlich die durch Zitate bekannte, nicht erhaltene Consolatio des *Cicero*[66] auf den Tod der Tochter *Tullia,* mit der der Römer sich selbst tröstet. Der Gedanke des Lohns im Jenseits und der Unsterblichkeit der Seele spielt dabei eine bedeutende Rolle.

---

[62] Vgl. dazu *Skutsch,* Consolatio ad Liviam, in: PRE IV 1, 933-947.
[63] *Skutsch,* 938.940.
[64] Vgl. dazu *K. Ziegler,* Plutarch, in: PRE XX 1,1 (636-962)792f.
[65] AaO 794-801.
[66] Vgl. dazu *K. Büchner,* M. Tullius Cicero, in: PRE II 13 (VII A 1) (827-1274) 1124.

Sicherlich kann man in der Frage nach der Gattung den Text 2 Makk 7 nicht direkt mit der Consolatio vergleichen. Beide Überlieferungen bringen das Motiv der jenseitigen Todesüberwindung. Hat es in 2 Makk 7 eine solche tröstende Tendenz? Eignet der Lehrerzählung 2 Makk 7 in den Motiven der bewundernswerten Standhaftigkeit und himmlischen Auferstehung eine seelsorgerische Intention, wie sie in den antiken Consolationes zutagetritt? Man könnte diese Fragen mit Ja beantworten.

3.3.3 Der Exitus illustrium virorum

Die Motive der unerschrockenen Sterbebereitschaft, der Verhöhnung des Tyrannen, der Ausblick auf das Ende des Gottesfeindes[67] und die Hoffnung der Todesüberwindung in der jenseitigen Welt eignen auch einem anderen literarischen Topos der römisch-hellenistischen Zeit, zu dem die heidnischen Märtyrerakten wie auch die Gegenüberstellung von Philosoph und Tyrann inhaltlich in Beziehung stehen: dem Exitus illustrium virorum[68]. Die Erzählungen über den Tod berühmter Männer wurde aufgrund ihrer antimonarchischen Tendenz besonders in der römischen Kaiserzeit wirksam. Der Archetyp dieser Erzählgattung darf im Bericht des Platon über den Tod des Sokrates am Ende des Phaidon 113d-118a gesucht werden[69]. Man findet die Literaturgattung zum Beispiel in den Berichten des *Tacitus* über den Tod Senecas Ann XV 60-65 und des Thraseas Paetus Ann XVI 34f. Seneca, der vom Tyrannen Nero zum Ausleeren des Giftbechers gezwungen wird, zeigt keinerlei Zeichen von Furcht und Niedergeschlagenheit (XV 61). Er ermahnt die ihn umstehenden Freunde zur festen Haltung (XV 62), wie Sokrates die Seinen und die Makkabäermutter ihre

---

[67] Vorstufen des Motivs finden sich in den griechischen Mythen und Berichten von der Bestrafung des Gottlosen; vgl. z. B. Prometheus, Kapaneus, Pentheus, Kambyses, Demetrios Poliorketes, Mithridates; auch die Schilderung vom Tod des Herodes Agrippa I. in Apg 12,23; dazu s. A. *Ronconi,* in: RAC V 263f.

[68] Vgl. neben *Ronconi* (Anm. 67) noch *Hengel,* Judentum 181f. Beide weisen auf die Nähe von 2 Makk 7 zu dieser Literatur hin.

[69] *Ronconi* 1258.

Söhne ermuntert. Er spricht von der Grausamkeit des Königs, wie die Brüder in 2 Makk 7 immer wieder die üblen Eigenschaften des Herrschers herausstellen. Das heiße Wasser des Dampfbads, in dem der Philosoph erstickt, da das Gift ihm nicht schaden konnte (XV 64), weiht Seneca durch Verspritzen einiger Tropfen „Juppiter dem Befreier". Sicherlich hat ein solches Bekenntnis einen tieferen, todesüberwindenden Sinn.

Der Bericht vom Sterben des Thrasea wird nur knapp überliefert:

„Als er dann den Senatsbeschluß empfangen hatte, führte er Helvidius und Demetrius in das Schlafzimmer. Er hielt die Adern beider Arme hin, und als das Blut herauslief, besprengte er den Boden, rief den Quästor herbei und sagte: ‚Wir wollen dem Befreier Juppiter eine Spende darbringen. Schau her, junger Mann! Zwar mögen die Götter verhüten, daß es eine Vorbedeutung sei. Doch du bist in eine Zeit hineingeboren, in der es not tut, sein Herz zu stählen durch Vorbilder von Standhaftigkeit'" (Ann XVI 35)[70].

Wie Sokrates angesichts des gewaltsamen Todes von der Unsterblichkeit der Seele spricht, trösten sich Seneca und Thrasea mit der Hoffnung auf „Juppiter den Befreier". In dieser Hoffnung erscheinen sie den makkabäischen Brüdern ebenbürtig. Wenn Seneca und Thrasea wie Sokrates im Sterben ihrem Befreiergott eine Libation darbringen, die bei Thrasea im eigenen Blut besteht, so wird man an das Selbstverständnis des Märtyrertods in 2 Makk 7,37 als deprekatives Sühnopfer oder Reinigungsopfer für das Volk erinnert; allerdings fehlt in den Annalen des Tacitus der Stellvertretungsgedanke. Zur Topik der Exitusliteratur gehört wie in 2 Makk 7 auch der Gegensatz zwischen dem gelassenen Sterben des Philosophen und dem furchtbaren Ende des Tyrannen[71]. Der Gedanke der Vorbildhaftigkeit im Thraseabericht hat in 2 Makk 7,20 seine Parallele. Andere Züge sperren sich dem Vergleich mit dem kynisch-stoischen Milieu, in dem übrigens im anderen Zusammenhang das Elementardenken, wie es 2 Makk 7,22 eine Rolle spielt, begegnet[72]. Die Tendenz der Lehrvermittlung fehlt in der Exitusliteratur. Trotzdem sollten wir hier die größte Nähe einer antiken Literaturgattung zu 2 Makk 7 feststellen.

---

[70] Übers. *W. Sontheimer,* Tacitus. Annalen XI-XVI, Stuttgart 1967, 235.
[71] *Ronconi* 1262f.
[72] Dazu s. o. 2 Note d und u. 4.1 zu V. 22.

3.3.4 Zusammenfassung

Der Blick in die antike Literatur nötigt uns, in 2 Makk 7 *mehr als eine martyrologische Lehrerzählung* zu sehen. Der Text hat eine offene Seite zur hellenistischen Welt hin. Wir stehen hier auf einem *Begegnungsfeld jüdisch-chasidischer Märtyrertheologie und hellenistischer Rhetorik.* Unser Text bleibt eine Mischform, in der die Kombination von Märtyrerbericht und Lehrerzählung durch literarische Topoi des Hellenismus bereichert wurde. Das läßt mit einer komplizierten Traditions- und Redaktionsgeschichte des Stoffs rechnen.

4 Zur Frage der Überlieferung und Redaktion

Der Hauptbestand des 2. Makkabäerbuchs geht auf die sogenannte Epitome des Jason von Kyrene zurück[1]. Wie vor allem *J. G. Bunge* nachgewiesen hat[2], lassen sich die redaktionellen Spuren des Epitomators im engeren Kontext von 2 Makk 7 an den beiden Texten 2 Makk 6,12-17, einer Reflexion über die pädagogische Bedeutung des Leidens für das Gottesvolk, und 2 Makk 7,42, einer typischen Schlußformel des Epitomators[3], zeigen. Durch diese Rahmentexte werden die beiden exemplarischen Märtyrerberichte vom Tod des Eleasar 2 Makk 6,18-31 und dem der sieben Brüder 2 Makk 7 zusammengehalten. Im Aufbau von 2 Makk nehmen die beiden einzigen ausgeführten Märtyrergeschichten der hellenistischen Wirren eine zentrale Stelle ein[4]: Die Theokratie von Jerusalem zerfiel nach ihrer Anfangsblüte (2 Makk 3) innerlich durch ihre Sünde (2 Makk 4) und äußerlich durch die Verfolgung der Toratreuen, für die Antiochos IV. Epiphanes und die Jerusalemer Hellenisten verantwortlich gemacht werden (2 Makk 5-7). Das Leiden der Märtyrer bringt jedoch die Wende zum Heil[5]. Ihr Tod wird kompositorisch mit den Siegen des Judas Makkabäus (2 Makk 8,1-7) verbunden[6]; der Zusammenhang zwischen 2 Makk 7,37f und 8,5 fällt jedenfalls auf. Die Märtyrer flehen mit der Hingabe ihres Lebens Gott an, „er möge bald dem Volk gnädig sein (2 Makk 7,37), „daß der Zorn des Allmächtigen, der mit Recht gegen unser ganzes Geschlecht entbrannt ist, zur Ruhe kommt" (2 Makk 7,38). Der Freiheitskämpfer Judas findet mit seinen Leuten Erfolg,

---

[1] Dazu s. o. 1 mit Anm. 18.19.

[2] Zu 2 Makk 6, 12-17 vgl. Untersuchungen 304, zu 7,42 Untersuchungen 175ff.

[3] Vgl. noch 2 Makk 2,19; 3,40; 10,9; 13,26b; 15,37.

[4] So schon *Bickermann,* Gott der Makkabäer 33; *Surkau,* Martyrium 10; *Arenhoevel,* Theokratie 126; Wied, Auferstehungsglaube 97-99; Bunge, Untersuchungen 176; Nickelsburg CTM 42, 515-526.

[5] Vgl. *Bickermann,* Gott der Makkabäer 33; *Arenhoevel,* Theokratie 126; Wied, Auferstehungsglaube 97.99.

[6] *Nickelsburg,* CTM 42,525: „The author makes it clear that it was only because of the obedient heroism of the martyrs that Judas and his men were able to wage a succesful war against the Syrians".

weil sich nach dem Tod der Märtyrer „der Zorn des Herrn in Erbarmen verwandelt hatte" (2 Makk 8,5)[7]. Die Bitte des Gesetzestreuen zu Beginn des Kampfes, daß Gott das „zu ihm schreiende Blut erhören möchte" (2 Makk 8,3), stellt das Leiden der Märtyrer in das Licht der Stellvertretung und eines Bittopfers, das der Theokratie einen neuen Anfang ermöglicht. Auf die Zeit der Wiederherstellung (2 Makk 8,1-10,8) folgt im Aufriß der Epitome die Phase der Bewährung (2 Makk 10,9-15,39). Der Gesamtzusammenhang des Buchs läßt erkennen, daß 2 Makk 7 nicht um seiner genuinen Lehrintention, sondern um des heilswirkenden und geschichtswendenden Martyriums willen in den Kontext hineingehört. Die Spannung zwischen Text und Kontext, zwischen Tradition und Redaktion, läßt sich nicht übersehen.

Diese dürfte aber schon im Werk des Jason vorhanden gewesen sein. Der Epitomator verrät in 2 Makk 6,12-17 eine andere Anschauung von der Bedeutung des Martyriums als der übrige Text. Nach ihm soll das Leiden dem Gottesvolk zum Zeichen für die immer noch anhaltende Treue Gottes und als Erziehungsmaßnahme dienen. Nur in 2 Makk 7,33 erscheint zusammenhanglos und deshalb wohl als Glosse des Epitomators der Erziehungsgedanke[8]; sonst kennt ihn 2 Makk 7 nicht. Der Epitomator gibt nun in 2 Makk 2,19-32 an, nur das Jasonwerk als Quelle ausgezogen zu haben. So werden die beiden Märtyrerberichte, die sowohl nach vorn mit 2 Makk 6,1-11 als auch nach hinten mit 2 Makk 8 gut verklammert sind, schon mitsamt nach dem erwähnten Kontext im Werk des Jason gestanden haben. *Chr. Habicht*[9] hält das Kapitel für eine Einfügung, die später als Jason datiert, denn das erste Makkabäerbuch habe diese Überlieferung noch nicht gekannt, wie ihr Fehlen in diesem Buch zeige. Die Anwesenheit des Königs in Palästina als Augenzeuge, die Tatsache eines hebräischen Originaltextes zumindest für 2 Makk 7,7-9 und der Auferstehungsglaube, der der Zeit des Jason noch fremd gewesen sein könnte, sprächen für einen späteren Einschub in das Werk des Jason. Diese Argumentation zwingt nicht. Das erste Argument geschieht e

---

[7] *Arenhoevel,* Theokratie 126: „Judas bringt nur noch äußerlich zur Geltung, was sie bewirkt haben". Die gegenteilige Aussage findet sich im Judashymnus 1 Makk 3,8.

[8] S. o. 2 Note e zu V. 33.

[9] 2. Makkabäerbuch 171.

silentio; die Präsenz des Königs kann auf andere Weise erklärt werden, wie unten gezeigt werden soll. Die beiden letzten Gründe sind reine Postulate. Schließlich muß darauf hingewiesen werden, daß kein guter direkter Zusammenhang zwischen den Texten 2 Makk 6,11.31 und 2 Makk 8 besteht, der den Gedanken eines späteren Einschubs nach Jason, möglicherweise durch den Epitomator[10], nahelegen könnte.

Nun wird 2 Makk 7 bereits im Jasonwerk als ursprünglich selbständige literarische Quelle verarbeitet worden sein. Dafür spricht vor allem die *Inkongruenz* zwischen der 2 Makk 7 eigenen *Lehrintention* der Auferstehung und der *Tendenz des Kontextes* aus der Jasonüberlieferung. Aber auch andere Beobachtungen lassen darauf schließen[11]: 1) 2 Makk 7,6 bringt das einzige ausführliche Schriftzitat in 2 Makk. 2) Nur 2 Makk 7,6.30 nennt die Gestalt des Mose mit Namen als Gesetzesmittler. 3) Während die übrigen Märtyrerüberlieferungen in 2 Makk Namen bringen (2 Makk 6,18-31 Eleasar; 14,37-46 Razi), bleiben die Gestalten in 2 Makk 7 anonym. 4) Die Bezeichnung der Juden als „Hebräer" in V. 31 begegnet nur noch in den Zusätzen des Epitomators[12] und ist in 2 Makk, soweit der Text auf Jason zurückgeht, singulär. 5) Die Erzählung soll im Kontext und im Aufriß des Jasonwerks exemplarisch für judäische Verfolgungen stehen. Der engere Kontext geht auf eine judäische Quelle, die Judas-Vita, zurück. Nun lassen sich in 2 Makk 7 jedoch Züge feststellen, die nahelegen, die Überlieferung und Entstehung dieses Stoffes nicht in Judäa, sondern im Diasporabereich bzw. in der jüdischen Gemeinde von Antiochia[13]

---

[10] 2 Makk 7 als Quelle des Jason auch bei *Surkau,* Martyrium 9-24; *Bunge,* Untersuchungen 228.304f. *Arenhoevel,* Theokratie 105 Anm. 19; 107 Anm. 27, nimmt eine zweite Quelle des Epitomators neben Jason an. *Hengel,* Judentum, ordnet einmal den Text dem Jasonwerk zu (181f), rechnet an anderer Stelle (176 Anm. 291) mit der Möglichkeit der Einführung einer zusätzlichen Märtyrerhaggada durch den Epitomator.

[11] Vgl. schon *Arenhoevel,* Theokratie 105 Anm. 19.

[12] 2 Makk 11,13; 15,37; dazu vgl. *Arenhoevel,* ebd.

[13] Zur jüdischen Gemeinde in Antiochia vgl. bes. Josephus Bell VII 43-46; Ant XII 119; Ap II 39. Das wichtigste Material und weitere Literaturhinweise finden sich bei Michel-Bauernfeind. Der jüdische Krieg II 2, 227-230 Anm. 26-31; vgl. ferner *E. G. Kraeling,* The Jewish Community at Antioch: JBL 51 (1932) 130-160; *Downey,* A History of Antioch, bes. 107-111;

zu orten. Damit ist eine überlieferungsgeschichtlich von den judäischen Traditionen des Kontextes zu unterscheidende Herkunft für 2 Makk 7 angezeigt. 6) Auch ein ursprünglicher Überlieferungszusammenhang mit der vorangehenden Eleasargeschichte 2 Makk 6,18-31 erscheint schwer vorstellbar, obwohl es in beiden Texten um das gleiche Ansinnen geht, welches das Martyrium auslöst. In der Eleasargeschichte kommt die Gestalt des Königs nicht vor. 2 Makk 6 sieht die Bedeutung des Martyriums im Vorbild des kompromißlosen Toragehorsams für die Jugend (6,24.28.31). Ein solcher Gedanke fehlt in 2 Makk 7. Umgekehrt begegnet in 2 Makk 6 die Auferstehungshoffnung nicht, wie auch der Gedanke einer Stellvertretung im Erleiden der Strafe fehlt. Schließlich ist darauf hinzuweisen, daß in der rabbinischen Überlieferung im Zusammenhang mit dem Martyrium der Brüder nie die Eleasargeschichte erwähnt wird[14]; lediglich das 4. Makkabäerbuch bringt beide Martyrien, da es literarisch von 2 Makk abhängig ist. 2 Makk 7 muß ursprünglich ohne Verbindung mit der Eleasargeschichte tradiert worden sein. Letztere dürfte aufgrund verwandter Züge später die Erzählung von den Brüdern an sich gezogen haben; erfüllt sich doch in der Toratreue der Brüder die in 2 Makk 6 beabsichtigte Intention, den Tod des Greises als Vorbild des Toragehorsam für die Jugend herauszustellen. Spätestens Jason kann beide Erzählungen kompositorisch verbunden haben.

2 Makk 7 stammt aus einer gesonderten Quelle des Jason. Der unvermittelte Einsatz in 2 Makk 7,1 mag ein Zeichen dafür sein, daß die Geschichte der Brüder aus einem größeren unbekannten Werk des antiochenischen Judentums entnommen wurde. Die geschlossene Thematik und die Form einer Lehrerzählung über die Auferstehung könnte aber ebenso darauf hinweisen, daß 2 Makk 7 von Haus aus als eine eigenständige literarische Dokumentation geplant war. Zeitgenössische Quellen gleichen Umfangs liegen in der sogenannten Zehnwochenapokalypse aethHen 93,1-10 u. 91,12-17, in den einzelnen ursprünglich wohl selbständigen Danielapokalypsen Dan 7; 8; 9; 10-12 und im sogenannten Pseudodaniel von Qumran 4QpsDan vor. Zumindest für die Apokalyptik jener Zeit ließen sich damit flugblattar-

---

M. *Stern,* in: The Jewish People in the First Century (Compendia Rerum Iudaicarum ad Novum Testamentum 1) Bd. 1, Assen 1974, 138-142.

[14] Vgl. *Surkau,* Martyrien 19.

tige Dokumente, die im Zählungsschema aufgebaut sind und im Umfang 2 Makk 7 gleichen, belegen.

Mit 2 Makk 7 wollte wohl die antiochenische Judengemeinde gegenüber dem judäischen Judentum dokumentieren und betonen, daß auch sie von dem Gottesfeind verfolgt wurde und das Martyrium erlebt hat[15]. Josephus überliefert uns, wie die Antiochener unter den Nachfolgern des Antiochos IV. Epiphanes versuchten, den Jerusalemer Tempel zugunsten ihrer eigenen Synagoge zu beerben (Bell VII 43)[16]. Auch 2 Makk 7 könnte Zeugnis eines solchen Vergleichens sein. Es kam darauf an, die gleiche zum Martyrium bereite Glaubenstreue auch außerhalb des Mutterlandes unter Beweis zu stellen. Zugleich konnte hier ein theologischer Entwurf vorgewiesen werden, der der chasidischen Entdeckung der Totenauferstehung in Dan 12 ebenbürtig war. Auch das Diasporajudentum fand in der Glaubensnot zur Zeit der hellenistischen Wirren die Hoffnung und Gewißheit, daß Gott die getöteten Glaubenszeugen rehabilitieren und am Heil teilnehmen lassen würde.

Überlieferungsgeschichtlich läßt sich der Stoff von 2 Makk 7 als Quelle des Jason noch einmal differenzieren, wenn auch literarkritische Analysen zur Unterscheidung von Tradition und Redaktion hier nicht mehr möglich erscheinen. Wir dürfen zwischen traditionsgeschichtlich primären und sekundären Motiven, d. h. zwischen dem Stoff der Märtyrererzählung und den ausgeprägt theologischen Rede-

---

[15] Auf die Möglichkeit dieser Tendenz wies mich freundlicherweise Prof. *Hengel* – Tübingen hin.

[16] Vgl. Josephus Bell VII 43-45: „Das jüdische Volk ist nämlich stark unter die eingeborene Bevölkerung auf dem ganzen Erdkreis zerstreut; am meisten aber war es in Syrien wegen der Nachbarschaft zu Palästina vertreten und hier besonders in Antiochien wegen der Größe der Stadt; vor allem hatten die Nachfolger des Antiochus ihnen dort ein sorgloses Wohnen ermöglicht. Antiochus Epiphanes hatte nämlich Jerusalem zerstört und den Tempel geplündert; die Nachfolger auf seinem Thron erstatteten alle ehernen Weihegeschenke den Juden Antiochias zurück und ließen sie in der Synagoge aufstellen. Dazu bewilligten sie ihnen die gleichen Rechte wie den Griechen. Da auch die späteren Könige die Juden ebenso behandelten, vermehrte sich ihre Zahl; sie schmückten ihr Heiligtum mit kunstvollen und prächtigen Weihegeschenken" (Übers. Michel-Bauernfeind, Der jüdische Krieg II 2, 85).

teilen, unterscheiden. Am Anfang steht der Aufweis einer antiochenischen Märtyrervergangenheit, worauf spätere Traditionen wie Josephus Bell VII 417-419[17] und Git 57b[18], die das Auferstehungsmotiv nicht kennen, hinweisen. Die Entstehung der literarischen Dokumentation über die Märtyrerauferweckung kann zwischen der hellenistischen Verfolgung 167-164 v.Chr. als Terminus a quo und der Abfassung des Jasonwerks in der Zeit von 160-152 v.Chr.[19] als Terminus ante quem datiert werden. Bei einer solchen chronologischen Einordnung von 2 Makk als Quelle des Jason zwischen 167-152 v.Chr. ergibt sich eine zeitliche Nähe zum Danielbuch aus der Wende von 165/4 v.Chr., mit dem Text auch die Auferstehungsfrage teilt.[20]

---

[17] Dazu s. u. 6.1.

[18] Dazu s. o. 3.2 Anm. 45 und u. 6.1.

[19] Dazu s. o. 1 mit Anm. 18.19.

[20] Interessant, aber abzulehnen, bleibt der Versuch *Nickelsburgs,* Resurrection 97-111, die Entstehungsgeschichte von 2 Makk 7 zu zeichnen. Er rechnet aufgrund einer gewissen Parallelität zwischen 2 Makk 7 und AssMos 9, 1-7 (dazu s. u. 6.1) sowie 1 Makk 2,29-38 mit einem Archetyp aller Berichte, der im Lauf der Überlieferung mit den verschiedensten Stoffen aufgefüllt worden sei. Am Anfang der Tradition habe die Geschichte eines prominenten Chasid und seiner sieben Söhne gestanden, die im Widerstand gegen Antiochos IV. zum Tode verurteilt ihr Leben unter der Appellation an Jahwes Rache gelassen hätten. Später habe man diese Erzähltradition mit Motiven von der Erhöhung des Gottesknechtes aus Deuterojesaja ergänzt. Auch die Gestalt der Mutter gehört nach *Nickelsburg* nicht zum Archetyp, da die Erzählung im Hauptbestand nur die sieben Brüder voraussetze. Ihre Erwähnung in V. 1.4.5.40 sei Glossierung, so daß sie ursprünglich nur in V. 20-29 begegne. Hier sei das exilisch-nachexilische Hoffnungsmotiv von der Wiedergabe der Söhne an die Mutter Zion geschichtsbildend geworden. – *Nickelsburg* überzeugt schon deshalb nicht, weil er als ältesten Text AssMos 9 voraussetzt (99), der doch sehr spät in die Herodeszeit datiert werden muß (dazu s. u. 6.1). AssMos 9,1-7 geht eher literarisch auf 1 Makk 1,29-38 zurück und verbindet damit Motive aus 2 Makk 7 (dazu s. u. 6.1). Die Gemeinsamkeiten zwischen 2 Makk 7 und 1 Makk 2,29-38 ergeben sich durch den gleichen historischen Hintergrund der Verfolgung und weisen nicht auf identische Traditionen hin. Die Gestalt der Mutter sollte man als einmaliges Motiv in der Märtyrerüberlieferung des frühen Judentums nicht so schnell als Zuwachs eliminieren. Man kann sich schwerlich vorstellen, daß *jüdische* Theologie diese „Lehrerin" erfunden haben sollte, sowenig wie die Frauen in den Grabesberichten der Evangelien in einem Milieu, in

dem das Recht der Lehre und des Bezeugens nur Männern vorbehalten ist, auf Typologese oder Phantasie zurückgehen.

Einen ähnlichen traditionsgeschichtlichen Ansatz macht *Loftus*, JQR 66, 212-223. Er rechnet damit, daß 2 Makk 7 wie AssMos 9,1-7 und Josephus Bell I 312f par Ant XIV 429f traditionsgeschichtlich auf eine Volkserzählung zurückgehen, die ihren Ursprung in Jer 15,9 hat. 2 Makk 7 ist für ihn ein (unhistorischer) haggadischer Midrasch zu diesem Text.

5 Die Theologie der Auferstehung in den Reden

5.1 ANALYSE

5.1.1 Vers 1-6

Zur Erfassung der Theologie der Auferstehung in den Reden von
2 Makk 7 bedarf es keiner Analyse der Erzählung. Wenn die Namen der
Betroffenen anonym bleiben und der Ort ihrer Leiden keine Erwähnung findet, stehen Personen und Geschehen repräsentativ für alle,
die in der Zeit der hellenistischen Verfolgungen entschlossen waren,
„eher zu sterben als die Gesetze der Väter zu übertreten", wie es in dem
für Verfolgungstradition[1] typischen Satz V. 2 heißt. Ihr Geschick wird
in dem der Sieben und ihrer Mutter mitbehandelt. Exemplarisch steht
auch dafür der Zwang zum Genuß von Schweinefleisch, die beliebte
Repressalie des heidnischen Antisemitismus[2]. Er fordert nicht nur den
Bruch der Reinheitstora, sondern bedeutet zugleich Nötigung zu
einer heidnischen Opferhandlung, worauf auch der Begriff σπλαγχνισ-
μός (Schlachtfest; Opfermahlzeit) in V. 42 hinweist[3]. Wir werden in
die Diasporasituation[4] des Frühjudentums hineingeführt, in der der
Jahwegläubige unter der Zumutung lebt, an der Religion, besonders
am Kultus, der Gastgeber teilzunehmen[5]. Durch Reinheitstora und
Monojahwismus weiß sich das Gottesvolk von der hellenistischen
Theokrasie geschieden[6]. Der Fromme soll gezwungen werden, Bund
und Erwählung preiszugeben. Wie er diesen Zwang überwindet, wird
in den Zügen der Märtyrererzählung dargestellt.

---

[1] Dazu s. o. 2 Note f zu V. 2.

[2] Dazu s. o. 1 mit Anm. 23-28.

[3] Dazu s. o. 1 Note e zu V. 42.

[4] Vgl. Dan 1; 2 Makk 11,31. *Arenhoevel*, BiLe 5,37, spricht mit Recht von
einer Typisierung der Diasporasituation.

[5] Vgl. z. B. Josephus Ap II 258. Josephus bringt die Kritik des Rhetors
Apollonios Molon (rhodischer Gesandter in Rom 81 v.Chr.), „daß wir
Menschen, die andere Meinung über Gott verträten, nicht akzeptierten".

[6] Dazu vgl. *Hengel*, Judentum 473-486.

Für den jüdischen Leser von 2 Makk 7 tritt mit einem solchen Geschehen eine theologische Schwierigkeit auf. Das Frühjudentum hält an dem Axiom der Weisheit fest, daß Toragehorsam Leben bringt: „Die Furcht des Herrn mehrt die Tage" (Spr 10,27). Noch die älteren Legenden des Danielbuchs (Dan 3; 6) lehren im Konflikt des Diasporajudentums mit dem Herrscherkult im hellenistischen Orient diesen Grundsatz: Wer am Gesetz unter dem Einsatz seines Lebens festhält, wird nicht zuschanden. Der Optimismus des immanenten Vergeltungsglaubens der Weisheit[7] ist hier noch kaum gebrochen, obwohl im Hiobbuch oder beim Prediger die Vorbehalte und Einsprüche aus der Erfahrung bereits angemeldet worden sind. Vor allem betont das Sirachbuch vom Beginn des 2. Jahrhunderts v.Chr. den innergeschichtlichen Tat-Ergehens-Zusammenhang[8]. Der frühzeitige Tod der Chasidim durch Verfolgung und Hinrichtung um der Tora willen erschüttert dieses Prinzip. Er erfordert besonders angesichts der in der Danielapokalypse 12,1-4 angekündigten aber ausgebliebenen Auferstehung der im Konflikt Umgekommenen eine neue Lösung. Dieser gehen schon die Mahnworte nach dem Tod des Ersten in V.6 nach: „Der Herr, Gott, sieht es alles und wendet uns gewiß sein Erbarmen zu". In ihnen spricht sich die Gewißheit aus, daß Gott den durch ihren Märtyrertod Zukurzkommenden zu ihrem Recht verhilft. Das Stichwort παρακαλεῖν und der Inhalt der Paraklese leitet sich aus dem Toratext Dtn 32,36 im Wortlaut der Septuaginta ab, der auch zitiert ist. Schon im alttestamentlichen Zusammenhang des Zitats wird auf die geschichtswendende Tat Gottes angespielt, die auf die Klage der Seinen hin erfolgt. So legt es wenigstens Dtn 32,36 in Verbindung mit dem parallelen Vers 43 nahe. Die Märtyrer flüchten sich in einen Satz der Tora als sichere Verheißung für den Gehorsamen[9]. So steht am Anfang der theologischen Erörterung über die Auferstehung ein *Grundsatz aus der Tora*[10].

---

[7] Vgl. z. B. Ps. 1. Die Meinung, daß Toragehorsam Leben bringt, bezeugt vor allem auch das Buch der Sprüche; vgl. z. B. Spr 4,4; 6,23; 8,35f.

[8] Z.B. Sir 2,9-11; 3,6-9; 4,11-19; 7,1f; 11,20-22 auch Tob 4,6.14; aethHen 94,4; PsSal 14,2f.

[9] Vgl. *Knecht* als Ehrentitel des Toratreuen in den deuteronomistischen Schriften.

[10] Dies betont auch mit Nachdruck *Wied,* Auferstehungsglaube 101.

5.1.2 Vers 7-9

Die letzten Worte des zweiten Bruders in V. 9 formulieren die Konsequenz der Toraverheißung. Sie zeigen in ihrer Überfrachtung mit theologisch gefüllten Begriffen einen klaren antithetischen Aufbau. Dem *syrischen König* und dessen Handeln wird der *König der Welt* und sein Werk gegenübergestellt, dem *gegenwärtigen* das *ewige* Leben, dem *Verlieren* des Lebens das *Wiederaufleben,* dem *Sterben* das *Auferwecken:* „Du Verbrecher nimmst uns zwar das gegenwärtige Leben. Der König der Welt aber wird uns, die wir für sein Gesetz sterben, zum Wiederaufleben in das ewige Leben auferwecken". Schon diese ausgewogene Begriffsantithetik weist auf die Anwendung des Grundsatzes der ausgleichenden Gerechtigkeit hin[11]. Der Tod wird durch Gottes Tat für den Märtyrer zurückgenommen. Der Satz spielt dabei deutlich auf Dan 12,2 an: „Sie werden *auferstehen,* die einen zum *ewigen Leben*". Im Unterschied zu diesem apokalyptischen Text fehlen in 2 Makk 7 die Zeitvorstellungen und die Erwartung des doppelten Ausgangs der Auferstehung[12]. Die antithetische Struktur von V. 9 läßt das durch die Auferweckung wiedergegebene Leben nur als *transzendent-himmlisches* in der Nähe Gottes bestimmen. Wie dem irdischen König der himmlische des Kosmos gegenübersteht, so dem *irdisch gegenwärtigen* Leben das *ewige,* wobei dieses Adjektiv in der doxologischen Sprache gern die himmlisch-transzendente Existenzweise Gottes bezeichnet[13], an der der Mensch von Haus aus keinen Anteil hat. Ein

---

[11] Vgl. *Nickelsburg,* CTM 42,524: „God will heal what Antiochus has hurt; He will bring to life those whom Antiochus has killed. What God created He will recreate".

[12] Vgl. jedoch auch die einsichtigen Ausführungen von *B. Alfrink,* L'idée de résurrection d'après Daniel 12,1-2: Bibl 40 (1959) 355-371, der für Dan 12 nur die Auferstehung der gesetzestreuen Chasidim nachzuweisen versucht.

[13] Vgl. 2 Makk 1,25; 3M 6,12; Sir 36,17; Tob 13,6.10; aethHen 25,7; 2 Kor 4,17f; 1 Tim 6,16; 2 Tim 2,10; 1 Petr 5,10; Hebr 9,14; auch Cicero De re publ VI 13 (Somnium Scipionis). Obwohl der Begriff des ewigen Lebens im Judentum, NT, in den Märtyrerberichten und bei den apostolischen Vätern nicht immer eindeutig auf futurisch-heilszeitliche oder postmortal-himmlische Existenz festgelegt werden kann (vgl. *Bousset-Gressmann,* Judentum 275ff), ist hier wie in PsSal 3,12; 13,11; 14,3.10; 15,13; aethHen 37,4; 40,9; 58,3; 4M 15,3; Josephus Bell I 650 die transzendentale Bedeutung anzunehmen.

solches Verständnis der Auferstehung in 2 Makk 7 als himmlischer Erneuerung des Lebens drückt V. 36 noch deutlicher aus. Entsprechend muß auch der *Auferstehungsbegriff* in V. 9 nicht wie in Dan 12 endzeitlich-irdisch sondern transzendent-himmlisch verstanden werden. Die Begriffe ἀνιστάναι (V. 9.14; auch 2 Makk 12,44) und ἀνάστασις (V. 14; auch 2 Makk 12,43) erscheinen in ihrer Bedeutung durch den Kontext festgelegt. Darauf weist möglicherweise auch der in der Septuaginta und im Neuen Testament nicht belegte Terminus ἀναβίωσις hin, der in seiner verbalen Form bei Josephus (Ant XVIII 14) ein *Wiederaufleben nach dem Tode* zum Ausdruck bringt[14] und in 2 Clem XIX 4 die himmlische Existenz nach dem Tode meint[15].

Im allgemeinen bezeichnet ἀνιστάναι/ἀνάστασις im griechischen Alten und Neuen Testament die Rückkehr eines Menschen in sein irdisches Leben (Jes 26,19; Mk 5,4; 9,27; Lk 16,31; Joh 11,23; Apg 9,40; Hebr 11,35) und vor allem die endzeitliche Auferstehung auf der Erde. Es gibt jedoch auch frühjüdische und neutestamentliche Texte, die den Terminus der Auferstehung auf die *postmortale himmlische Erhöhung* besonderer Menschen anwenden. Hierzu gehört vor allem die Fülle der christologischen Texte im Neuen Testament, die von der postmortalen himmlischen Erhöhung der Gekreuzigten als Auferstehung sprechen[16]. Nach dem eindeutigen Zeugnis der Evangelien und Briefe hat die Urchristenheit die Auferstehung Jesu nicht als Rückkehr ins irdische Leben, sondern als Inthronisation in die himmlische Welt Gottes verstanden; eine Ausnahme bildet höchstens das Werk des Lukas mit seiner eigenen Vorstellung einer besonderen Himmelfahrt des Auferstandenen vierzig Tage nach Ostern. In TestBenj 10,6 (2/1. Jahrhundert v.Chr.) gelten die in die himmlische Welt versetzten Patriarchen schon vor der allgemeinen Auferstehung aller Menschen als auferstanden. Ein solches Verständnis setzt auch Mk 12,26f voraus; denn nach dem Textzusammenhang der Diskussion Jesu über die Auferstehungsfrage mit den Sadduzäern sind die Erzväter bereits auferstanden[17]. In TestIjob 4,9 (1. Jahrhundert v.Chr.) ist von Hiobs

---

[14] Dazu s. o. 2 Note j zu V. 9.
[15] Ebd.
[16] Dazu vgl. die Konkordanz.
[17] So auch jetzt *Berger,* Auferstehung 113.386f Anm. 512.

Auferstehung an den Ort der Nähe Gottes die Rede. Dabei gilt Hiob als Märtyrer (4,10). Er thront nach dem Tod zur Rechten Gottes im Himmel (41,4). Offb 20,4f spricht von Auferstehung als einem besonderen Akt himmlischer Erhöhung der Märtyrer vor dem eigentlichen Ende der Geschichte. Höchstwahrscheinlich spielt Paulus in Phil 3,10f in gleicher Weise auf diese vorzeitige „Auferstehung aus den Toten" an. Auch in den altkirchlichen Märtyrerberichten begegnet gelegentlich der Terminus zur Bezeichnung der postmortalen himmlischen Märtyrergemeinschaft mit Christus. So dankt der Märtyrerbischof Polykarp für die Würdigung der Teilnahme am Kelch Christi „zur Auferstehung des ewigen Lebens von Seele und Leib" (MartPol XIV 2). Ignatius von Antiochien schreibt im Ausblick auf sein Martyrium, durch das er „zu Gott gelangt": „. . . wenn ich gelitten habe, werde ich ein Freigelassener Jesu Christi werden und als Freier in ihm auferstehen" (Röm IV 3). In MartPion XXI 4 sagt der Märtyrer: „deshalb beeile ich mich, damit ich um so schneller auferweckt werde, die Auferstehung der Toten erfahre". In den Paulusakten antwortet der Apostel dem Kaiser: „Kaiser, nicht nur für eine kurze Zeit lebe ich meinem Könige! Und wenn du mich enthaupten läßt, werde ich folgendes tun: ich werde auferstehen und dir erscheinen (als Beweis dafür,) daß ich nicht gestorben bin, sondern meinem Herrn Jesus Christus lebe" (MartPaul IV)[18]. In MartMatth XXIV wird gesehen, wie der Märtyrer aufersteht und in den Himmel eingeht. So steht der Auferstehungsbegriff in 2 Makk 7 ohne Zweifel am Anfang einer motivgeschichtlichen Linie, die auf eine exklusive besondere Bedeutung des Auferstehungsterminus für die Märtyrer hinzielt.

Möglicherweise hat 2 Makk 7 das Auferstehungsverständnis von Dan 12,2 umgeprägt. Unter Umständen liegt aber auch außerjüdischer Einfluß vor. Bei Philo Cher 115 wird z. B. der postmortale Fortgang der Seele zu Gott mit μεταναστήσεται wiedergegeben. Ein Grabepigramm des Antipatros von Sidon (ca. 170-100 v.Chr.) bezeichnet den postmortalen Aufstieg der Seele in die astrale Unsterblichkeit direkt als ἀνάστασις: „Selig für immer das Volk, das Heraklea die Auferstehung zu dem geräumigen Reich himmlischer Wolken gewirkt"[19].

---

[18]   Übers. *W. Schneemelcher*, in: *E. Hennecke - W. Schneemelcher*, Neutestamentliche Apokryphen II, Tübingen ³1964, 266. Vgl. auch MartPaul V. 267.

[19]   Anthologica Graeca 7, 748; vgl. *Hengel*, Judentum 359.

Schließlich muß man für die vorchristliche Zeit auf die Kombination der Begriffe Auferstehung und ewiges Leben in den ägyptischen Totenbuchtexten zur Umschreibung der Himmelfahrt der Seele (Ba) hinweisen[20].

Es geht im Gesamtzusammenhang von V. 9 um die Versetzung des Frommen in die himmlische Existenz nach seinem Sterben. Die Märtyrer „entweichen dem König in einen Bereich, in den er ihnen nicht folgen kann, und werden dadurch unüberwindlich" (*D. Arenhoevel*)[21].

5.1.3 VERS 10

Die letzten Worte des dritten Sohns konkretisieren die angezeigte Erwartung: „Vom Himmel habe ich diese bekommen, und um seines Gesetzes willen lasse ich diese fahren. Und von ihm hoffe ich diese wiederzuerlangen". Wie die dreimalige Erwähnung des auf die Glieder des Märtyrers zurückweisenden ταῦτα (diese) zeigt, soll die Toraverheißung nicht nur die Identität der Person, sondern auch sogar die der Glieder betonen. Damit kommt ein neuer Gedanke in Blick: die Vorstellung einer *Auferstehungsleiblichkeit*. Diese wird nicht näher erörtert. Ihr „Wie" ist zunächst irrelevant. Der Fromme des Frühjudentums, dessen Anthropologie die Basis im Alten Testament hat, kann sich neues Leben und Auferstehung nicht ohne Leib denken. Die Wiedererstattung des verlorenen leiblichen Lebens bedeutet unter den konkreten Umständen des Martyriums, die auf Vernichtung des Leibes hinauslaufen, die *himmlische Neuschöpfung* durch Gott (vom Himmel). Die gleiche Erwartung findet sich noch deutlicher in den letzten Worten des gesetzestreuen Razi 2 Makk 14,46: „Schon ganz verblutet, riß er seine Eingeweide heraus, faßte es mit beiden Händen und schleuderte es unter die Menge. Nachdem er darauf den, der über Leben und Tod Herr ist, angerufen hatte, er wolle ihm dies (ταῦτα) alles wiedererstatten, starb er".

---

[20] Auferstehung: Totenbuch 1, 3, 8; ewiges Leben: Totenbuch 62,68 z. B.; Texte in Übers. bei *G. Kolpaktchy*, Ägyptisches Totenbuch, deutsch München [3]1973.

[21] Theokratie 168.

Die Worte des vierten Sohnes lenken in V. 14 noch einmal auf den Begriff der Auferstehung zurück: „Gern scheidet man aus dem Leben durch Menschenhand, wenn man dabei die von Gott geschenkten Hoffnungen hegen darf, wieder von ihm auferweckt zu werden. Für dich aber gibt es keine Auferstehung zum Leben". Auch dieser Vers ist antithetisch aufgebaut. Dem Märtyrer mit der Hoffnung auf Leben wird der König ohne Hoffnung auf Leben entgegengestellt. Der Schluß scheint wieder in Anklang an Dan 12,2 formuliert zu sein. Jedoch erwartet 2 Makk 7 im Unterschied zu Dan 12 keinen doppelten Ausgang der Auferstehung. Der Gegensatz zur himmlischen Auferstehung des unschuldigen Märtyrers als postmortaler Rehabilitierung bedeutet für Antiochos nicht Auferstehung zur Schande, sondern ewiger Tod[22]. Die Frage der allgemeinen Auferstehung zum Gericht steht in unserem Text noch nicht an; nach V. 17.19.34-37 vollzieht sich für den König die gerechte Vergeltung innergeschichtlich mit seinem frühen Tod und dem seiner Nachkommen[23]. Wie der Verfasser sich das postmortale Geschick des Gottesgegners denkt, bleibt in ähnlicher Weise offen, wie es auch Dan 11,40-45 in Blick auf Antiochos IV. offenläßt oder wie PsSal 3,10-12 nur vom Geschick des Gerechten spricht, während „der Ungerechten nicht mehr gedacht wird". Der Theologe von 2 Makk 7 nennt solche Erwartungen „von Gott geschenkte Hoffnungen". Offensichtlich spielt er damit zunächst auf den Toratext Dtn 32,36 in V. 6 an. Als weitere Bezugsmöglichkeit hat sich im Verlauf unserer Analyse nur noch der Text Dan 12,2 ergeben. Auf die sogenannten Auferstehungstexte des Alten Testaments Jes 26,14-19 und Ez 37,1-14 gibt keinerlei Bezugnahmen[24].
Die Reden des fünften und sechsten Sohnes V. 15-19 sind in der Struktur der Martyrererzählung gehalten. Erst die Ausführungen der Mutter nehmen das neue Thema der himmlischen Neuschöpfung und Auferstehung wieder auf.

---

[22] Ebenso *Wied*, Auferstehungsglaube 296 Anm. 27; *Nickelsburg*, Resurrection 95 Anm. 11; *Hoffmann*, Die Toten 92f.

[23] S. o. 2 Note d zu V. 17.

[24] Gegen *Abel*, Maccabées 374.

5.1.5 Vers 20-23

In der ersten Rede der Mutter V. 22f begegnet uns endlich das Thema der *Schöpfung* explizit in der Begründung der himmlischen Auferstehung, die mit dem Rückverweis μετ' ἐλέους (erbarmungsvoll) auf den Grundsatz von V.6 als Rechtfertigung der Märtyrer verstanden ist. Die neue Thematik der Schöpfung erscheint jedoch nicht nur in V. 11 vorbereitet, sie deutet sich auch in der Rühmung der Königsmacht Jahwes in V. 9 an, wenn man beachtet, wie eng in der Doxologie des Frühjudentums, vor allem aber in späten Psalmen und bei Deuterojesaja, Jahwes Herrschermacht und Schöpfertätigkeit verbunden sind[25], „da niemand mit mehr Recht über die geschaffenen Wesen herrschen kann als ihr Schöpfer" (Philo Mos II 100). Der formgeschichtliche Ort der deuterojesajanischen Schöpfungsaussagen ist

---

[25] Sehr schön kommt die an unserer Stelle angesprochene Verbundenheit von Schöpferallmacht und Geschichtsmächtigkeit Gottes (vgl. o. 2 Note g zu V. 9) in der Doxologie bei aethHen 84,2-3 zum Ausdruck: „Gepriesen seist du, o Herr, König, groß und mächtig in deiner Majestät, Herr der ganzen Schöpfung des Himmels, König der Könige und Gott der ganzen Welt! Deine Gottheit, dein Königtum, deine Majestät bleibt fort und fort und in alle Ewigkeit. Denn du hast (alles) geschaffen und regierst alles, und nichts ist dir zu schwer, auch gar nichts; keinerlei Weisheit entgeht dir, noch wendet sie sich ab von ihrem Lebensgrund, deinem Throne" (Übers. *J. Flemming – L. Radermacher,* Das Buch Henoch (GCS 5) Leipzig 1901, 107f). Interessant ist auch die Verbindung in der weisheitlichen Theologie des Philo. So ordnet er in Mos II 99f Königs- und Schöpfermacht Gottes den beiden Gottesnamen von Gen 1-3 zu: „ . . . Seine Schöpferkraft, vermöge deren er unser All ins Dasein rief, schuf und ordnete, wird ‚Gott' genannt, den Namen ‚Herrn' hat seine Herrscherkraft, vermöge deren er über die Schöpfung herrscht und mit Gerechtigkeit unwandelbar regiert. Denn er ist das einzig wahrhaftig seiende und untrüglich schaffende Wesen, insofern er das Nichtseiende ins Dasein rief, und der natürliche König, weil niemand mit mehr Recht über die geschaffenen Wesen herrschen kann als ihr Schöpfer" (Übers. *B. Badt,* Philo I 320). Zum alttestamentlichen Zusammenhang der Prädizierung Jahwes als Schöpfer und König vgl. *W. Zimmerli,* Grundriß der alttestamentlichen Theologie, Stuttgart – Berlin – Köln – Mainz 1972, 32f; zu den Psalmen vgl. bes. *L. Vosberg,* Studien zum Reden vom Schöpfer in den Psalmen (BevTh 69) Stuttgart 1975.

nach *R. Albertz*[26] das beschreibende Lob. Dort soll mit dem Bekenntnis der Erschaffung von Himmel und Erde die unvergängliche Macht und Hoheit Jahwes illustriert werden. Auffallenderweise wird in 2 Makk 7,22f jedoch zunächst das Thema der Menschenschöpfung mit dem Bekenntnis der Allmacht Gottes verbunden, dessen formgeschichtlicher Ort nach der Untersuchung von *R. Albertz* eigentlich das der Klage korrespondierende Heilsorakel ist. In V. 28 kann dieser formgeschichtliche Zusammenhang auch verifiziert werden. Offensichtlich darf man in späterer Zeit die Form-Strukturen nicht mehr so stark differenzieren. Außerdem macht 2 Makk 7 die Motive und Formelemente des beschreibenden Lobes einer theologischen Argumentation dienstbar.

Die knappe Rede zeigt einen dreiteiligen Aufbau: sie spricht vom Werden des Menschen (V. 22a), von der Schöpfung (V. 22b) und von der daraus zu folgernden Neuschöpfung der Märtyrer (V. 23). Aus dem Wunder der Menschenschöpfung im Mutterleib soll auf das der himmlischen Neuschöpfung geschlossen werden[27]. Das Analogon, das die Logik der Hoffnung leitet, besteht zunächst in der Unfaßbarkeit der Wundermacht des Schöpfers: „Ich weiß nicht, wie ihr in meinen Mutterleib gekommen seid". In der Weisheit Israels, die hier mit der antiken übereinstimmt, gilt der Mutterschoß als der Ort, an dem Jahwe in wunderbarer Weise das Leben des Menschen schafft[28]; wunderbar, weil das *Wie* des Erschaffens menschlicher Einsicht letztlich unzugänglich bleibt. „So wenig wie du weißt, wie der Odem in die Gebeine im Leib der Schwangeren kommt, genau so wenig weißt du vom Tun Gottes, der alles tut" (Koh 11,5). Die Weisheit des Gottesvolkes bestaunt dieses Wunder und betet darüber den Schöpfer an: „Du bist es, der meine Nieren geschaffen, der mich gewoben im Leib der Mutter. Ich danke dir, daß ich so wunderbar gemacht bin: wunderbar sind deine Werke. Meine Seele erkennt das gar wohl" (Ps 139,13f). Das zweite Bekenntnis knüpft unter Ausschluß menschlicher Aktivität an Gottes alleiniger Macht über die Lebendigkeit des Menschen an und gründet in der alttestamentlichen Anthropologie, nach der Jahwes

---

[26] Weltschöpfung; vgl. z. B. Jes 44,24b; 45,6b.7.12; 48,13.

[27] Dazu vgl. o. 2 Noten zu V. 22.

[28] Ebd.

Lebenshauch den Menschen zum lebendigen Wesen macht[29]. Auf Gen 2,7 als der Grundstelle von Schöpfungsaussagen wird auch noch V. 23 anspielen, wobei zu beachten bleibt, daß mit dem Verb *tun* = *bara'* als Topos alttestamentlicher und frühjüdischer Schöpfungsaussagen Jahwes schlechthinnige Überlegenheit als die des Schöpfers betont wird[30]. Das Bekenntnis zur Kunstfertigkeit des Schöpfers „Auch habe ich nicht den Grundstoff zur Bildung eines jeden kunstvoll geordnet" (V. 22) fügt sich dieser Bezugsstelle jedoch nicht ein. Die Erklärung des Schöpfungsaktes als *Ordnen des Grundstoffes* wie auch der Begriff στοιχείωσις dürften auf die auch sonst im Judentum bekannte griechische Lehre von den *Elementen,* den Urstoffen des Lebens und Seins (στοιχεῖα), anspielen[31]. Diese wird auf Empedokles zurückgeführt und kann in Platos Timaios[32] und vor allem in der Stoa[33] auch auf die Entstehung des Menschen angewendet werden. Nach der Anschauung von den Urstoffen vergeht nichts, wie auch nichts aus dem Nichts kommt; alles wird zurückgenommen in den Weltgrund[34]. Das Frühjudentum weisheitlicher Prägung hat die Elementenlehre in die Anthropologie aufgenommen. So wird bei Philo Spec I 294 und in 4M 12,13 wie in der Stoa der Gedanke der Bruderschaft aller Menschen elementar begründet. Nach Philo hat der Mensch Anteil an den Elementen, aus denen der Kosmos besteht[35] und gibt diesen Anteil bei seinem Tod zurück[36]. Er löst sich in seine Elemente auf. So schwindet auch für Philo nichts ins Nichtseiende, sondern kehrt jedes Wesen zu seinem Ursprung zurück. Da der Ursprung aller Dinge aber Gott ist, liegt die Nähe zur alttestamentlichen Schöpfungslehre auf der Hand. So führt Philo die Weltelemente auf das Schöpfungshandeln Gottes zurück[37]. Die Interpre-

---

[29] Vgl. z. B. Gen 2,7; Ps 104,29.

[30] *H. Braun,* πλάσσω in: ThWNT VI (254-263) 257.

[31] S. o. 2 Note d zu V. 22.

[32] Tim 73e.74c.78b.

[33] Z.B. Epiktet Diss III 13,14f; MAnt; vgl. dazu im Einzelnen *G. Delling,* στοιχεῖον, in: ThWNT VII (670-687) 673f.

[34] Z.B. MAnt IV 4,3; X 7,5.

[35] Z.B. Decal 31; Op 146; Her 152f.

[36] Z.B. Her 282f; Spec I 266.

[37] Vgl. dazu *Delling,* 675f; *Meyer,* Anthropologie 124f.

tation des alttestamentlichen Schöpfungsgedankens durch die Elementenlehre, die auch im rabbinischen Judentum bekannt ist[38], dürfte in der frühjüdischen Weisheit jedoch älter sein. Auch das Buch der Weisheit Salomos leitet die Weltelemente aus dem Schöpfungshandeln Gottes ab[39] und verwendet den Begriff στοιχεῖον[40]. So vereinen sich in V. 22 hebräisches und griechisches Denken zum Hinweis auf die wunderbare Schöpfung des Menschen durch Gott. Der Grundsatz der griechischen Elementenlehre, nach dem sich im Tode der Mensch in die Elemente auflöst, aus denen er hervorgegangen ist, bietet dem Theologen von 2 Makk 7,22f eine Gedankenbrücke für die Anwendung der altisraelitischen Schöpfungsprinzipien, die er in V. 23 deutlich herausstellt, auf die himmlische Neuschöpfung. Vielleicht denkt sich der Verfasser den himmlischen Schöpfungsakt als eine *Neubelebung des unvergänglichen Grundstoffs durch den Lebenshauch Jahwes,* wie in ähnlicher Weise in Ez 37,5-10, einer Bildvision der nationalen Wiederherstellung Israels als Auferstehung, der Lebenshauch Jahwes die Totengebeine erweckt. Es fällt jedenfalls auf, daß im Unterschied zu V. 11 nicht von der Rückerstattung der Glieder, sondern von der zuvor erwähnten Entstehung des Menschen aus den Elementen die Rede ist: „Folglich wird euch der Schöpfer der Welt, der den Ursprung des Menschen kunstvoll gebildet und den Ursprung von allem bewirkt hat, Odem und Leben erbarmungsvoll wiedererstatten, welches ihr jetzt um seines Gesetzes willen fahren laßt" (V. 23). In einer Synthese von altisraelitischem Schöpfungsdenken (Gen 2,4.7) und griechischem Elementardenken wird das Wunder der himmlischen Auferstehung als die Belebung der von Jahwe geschaffenen Elemente gedacht, die auch die physische Zerstörung und der Feuertod der Märtyrer nicht auslöschen können. Wiesehr der Theologe hier mit der dem alttestamentlichen Denken uninteressanten Frage der Schöpfungsmaterie[41] beim Blick auf die himmlische Neuschöpfung ringt, zeigt der zweite Redegang der Mutter.

---

[38] Vgl. dazu *Meyer,* Anthropologie 122-124.127f.

[39] Vgl. bes. Weish 13,2.

[40] Vgl. Weish 7,17; 19,18.

[41] Vgl. *Cl. Westermann,* Genesis. I. Teilband. Genesis 1-11 (BK I/1) Neukirchen 1974, 151.

Er ist mit den Aspekten vom Werden des Menschen (V. 27/22), vom Schöpfungswerk Gottes (V. 28/23a) und der daraus zu folgernden Hoffnung (V. 29/23b) parallel zum ersten Redegang aufgebaut. Die Entstehung des Menschen und die Entstehung der Welt werden zueinander in Beziehung gesetzt. Dabei verschieben sich jedoch die Akzente. In der ersten Rede der Mutter dominiert das Thema der Menschenschöpfung, dem das Thema der Weltschöpfung zugeordnet erscheint (V. 23). Hier wird die Entstehung des Alls im Licht der Entstehung des Menschen gesehen[42]. Nun aber erscheint die Entstehung des Menschen im Licht der Entstehung des Alls. Das Thema der Weltschöpfung überwiegt als Argument in der Begründung der himmlischen Auferstehung (V. 28). Es reißt noch stärker als das Motiv der Menschenschöpfung im Mutterleib den Horizont der unbegrenzten Schöpfermacht Gottes auf[43] und hat wie in den Schöpfungsaussagen nachexilischer Psalmen die Funktion, die Krise des Erwählungsglaubens zu überwinden[44], hier des über den Tod hinausweisenden Heils Gottes gewiß zu machen.

Die Worte der Mutter setzen bei dem schöpfungsgegebenen Fürsorgeverhältnis zwischen ihr und dem Kind als Vertrauensbasis für die zuzusprechende Hoffnung ein. Sie wendet sich in Umkehrung der Aspektfolge von V. 23 vom „Mikrokosmos" des einzelnen menschlichen Lebewesens im Mutterleib dem „Makrokosmos" alles Geschaffenen zu. „Mein Sohn, erbarme dich meiner, die ich dich neun Monate lang im Mutterschoß getragen, drei Jahre gestillt, bis zu diesem Alter für deine Ernährung und Erziehung gesorgt, mich um deine Pflege gekümmert habe" (V. 27). V. 28a hat dann in offenkundiger Anspielung auf den priesterschriftlichen Schöpfungsbericht Gen 1,1 und 2,1a die Weltschöpfung zum Horizont: „Ich bitte dich, liebes Kind, schau auf zum Himmel und hin zur Erde und sieh alles an, was darinnen ist". V. 28b leitet am Ende zur Menschenschöpfung zurück. „Bedenke, daß

---

[42] *Hanhart,* Zum Text 40; *Schmuttermayr,* BZ 17, 206.

[43] Dazu s. o. 2 Note c zu V. 28.

[44] Diesen Aspekt stellt besonders die Arbeit von *L. Vosberg* (s. o. Anm. 25) heraus.

Gott dieses nicht aus solchem, was vorher vorhanden war, geschaffen und daß auch das Menschengeschlecht den gleichen Ursprung hat". In diesem Versteil zeigt sich noch einmal deutlich die Tendenz, die Entstehung des Menschen in das Allmachtswunder der Entstehung der Welt einzuordnen. Die Wendung γένος οὕτω γίνεται erinnert an Gen 2,4a. Damit liegt die Vermutung nahe, daß auch die von der klassischen Dogmatik als *Creatio ex nihilo* (Schöpfung aus dem Nichts) bezeichnete Aussage οὐκ ἐξ ὄντων ἐποίησεν[45] auf eine Stelle des priesterschriftlichen Schöpfungsberichts zurückgeht. Daß hierfür Gen 1,2 zu nennen bleibt, dürfte kaum fraglich sein. V. 29 leitet aus dem bereits Gesagten den Zuspruch der Verbundenheit Jahwes über den Tod hinaus ab und überwindet die Krise des Glaubens mit einem Wort, das deutlich wie ein Heilsorakel beginnt. Hier bestätigt sich die These von *R.Albertz*[46], daß das Thema der Menschenschöpfung in das der Klage korrespondierende Heilsorakel zur Zusicherung der Gemeinschaft mit Jahwe gehört. „Fürchte dich nicht vor diesem Henker da, sondern nimm deinen Brüdern würdig den Tod auf dich, damit ich dich mit deinen Brüdern zusammen beim Erbarmen (Gottes) wiedergewinne". Der parakletische Abschluß zeigt deutlich, daß es in den Worten der Mutter nicht um Schöpfungslehre, sondern um eine auf die Logik des Glaubens abzielende Begründung der himmlischen Auferstehung geht. Der Mensch verdankt sich mit dem ganzen

---

[45] Eigentlich gibt 2 Makk 7 keine zutreffende Schriftgrundlage für diesen dogmatischen Topos ab. Es wird in der Wendung eher das Prädikat als das Partizip verneint; dazu s. o. 2 Note d zu V. 28. So bemerkt auch *Weiss*, Untersuchungen 73, zur Stelle, „daß die Formulierung οὐκ ἐξ ὄντων selbst nicht so deutlich, wie man es erwarten könnte, von einer *creatio ex nihilo* redet; ‚nicht aus Seiendem' kann nämlich auch im Sinne von: ‚nicht aus Vorfindlichem' verstanden werden, besagt also noch nicht notwendig etwas über die wirkliche Herkunft des Seienden ‚aus dem Nichts'". Auch *Hengel*, Judentum 283, warnt vor einer vorschnellen Rede von der Creatio ex nihilo im Sinne einer Schöpfungsaussage. Dieses Problem begegnet erst bei den frühchristlichen Apologeten; vgl. dazu Weiss, Untersuchungen 146-150; *H. A. Wolfson*, The Meaning of Ex Nihilo in the Churchfathers, Arabic and Hebrew Philosophy and St. Thomas, in: Mediaeval Studies in Honor of Jeremiah Denis Ford, Cambridge – Mass. 1948, 355-370; *Scholem*, ErJb 25, 87-119.

[46] S. o. Anm. 26.

Kosmos dem gleichen Schöpfungswunder der Allmacht Gottes. Darum kann Gott den um seiner Treue zur Tora willen Ermordeten auch auf wunderbare Weise neues Leben schenken. Ähnlich wie Paulus in Aufnahme jüdisch-liturgischer Traditionen[47] oder gar doch in direktem Rückgriff auf unseren Text[48] bekennt der Verfasser über dem ersten Schöpfungsbericht die Verheißung der unermeßlichen Möglichkeiten des Schöpfergottes, „der das Nichtseiende (τὰ μὴ ὄντα) als Seiendes ruft und die Toten lebendig macht" (Röm 4,17). Was Paulus für die endzeitliche-irdische Totenauferstehung erwartet, erhofft vor ihm 2 Makk 7 für die himmlische Auferweckung der Märtyrer nach ihrem Tode[49]. Im Kontext von Röm 4, der typologischen Deutung der Abrahamgeschichte, soll die Gottesdefinition des Paulus zum Ausdruck bringen, daß Gott im Umkreis der Verheißung das Unmögliche möglich machen kann. Allerdings spielt die Frage der Schöpfungsmaterie bei Paulus keine Rolle[50]. Ihn interessiert allenfalls die Frage nach dem *Woher,* nicht die nach dem Woraus der neuen Schöpfung. 2 Makk 7 stellt vor ein anderes Problem. Hier soll durch Exegese des ersten Schöpfungsberichts gesichert werden, daß der Schöpfer in seiner unbegrenzten Allmacht zur himmlischen Neuschöpfung wie bei der ersten Schöpfung überhaupt keiner Materie, auch nicht der Elemente, bedarf. Die „Hilfskonstruktion" von V. 22 wird überboten. Der Rückgriff auf Gen 1,2 als

---

[47] Vgl. dazu zuletzt *O. Hofius,* Eine altjüdische Parallele zu Röm. IV 17b: NTS 18 (1971) 93f; *Berger,* Auferstehung 281 Anm. 126. *Hofius* weist für die Wendung „der die Toten lebendig macht" auf JosAs XX 7 und die zweite Benedektion des Achtzehnbittengebets hin; vgl. auch 2 Kor 1,9. Die Aussage „der das Nichtseiende ins Dasein ruft" wird mit syrBar 21,4; 48,8 und ConstAp VIII 12,7 belegt. Ferner ist zu vergleichen slHen 24,2; Philo Spec IV 187; Mos II 100. 267; Somn I 76; Migr 183; Her 36.

[48] Die in Anm. 47 genannten Texte sind mit Ausnahme Philos wohl nachpaulinisch anzusetzen. Die Kombination beider Gottesprädikate hat nur in 2 Makk 7 ihre Parallele. Das Stichwort *Hoffnung* Röm 4,18 begegnet in 2 Makk 7,11.14.20.

[49] *Hofius,* NTS 18,94 deutet 2 Makk 7 auf endzeitliche Totenauferstehung.

[50] Vgl. *Weiss,* Untersuchungen 142; *Schwantes,* Schöpfung 15. Schwantes macht mit Hinweis auf Philo Spec IV 187 darauf aufmerksam, daß die Formel „als Seiendes rufen" auch im Sinne des philonischen Stoffordnens unter Voraussetzung eines Urstoffes verstanden werden kann (15 Anm. 36).

„Verheißung" bringt die Erkenntnis, daß Gott durch die leibliche Verstümmelung und Vernichtung der Märtyrer nicht an die Grenzen seiner Möglichkeiten zur himmlischen „Wiederbelebung" gestoßen ist. Die beunruhigende Frage, die hier zur apologetischen Argumentation treibt, wird verständlich, wenn man etwa an die Angst des ägyptischen Menschen vor der Vernichtung und Beschädigung seines Leichnams denkt. Für jene Nachbarreligion des Judentums ist die himmlische Auferstehung nur denkbar bei der gleichzeitigen Unversehrtheit der Mumie[51]. Daß Auferstehung die Integrität der Gebeine als Anknüpfungspunkt für das Handeln Gottes nach dem jüdischen Denken voraussetzt, läßt auch der älteste Auferweckungstext Dan 12,2 erkennen, wenn er von einem Schlafen der Toten unter der Erde spricht. Die Lehrer der Mischna (1./2. Jahrhundert n.Chr.) sind aus Sorge um die Auferstehung der Toten darauf bedacht, den Leib eines Todeskandidaten bei der Hinrichtung nicht zu beschädigen oder zerstören[52]. Nach altkirchlichen Überlieferungen wollen die heidnischen Verfolger durch das Verstreuen der Asche verbrannter Märtyrer die Auferstehung der Christen vereiteln. So sagen sie z.B. in der Märtyrerüberlieferung von Lyon: „Wir wollen sehen, ob sie auferstehen und ob ihr Gott ihnen helfen kann"[53]. Die christlichen Märtyrer selbst müssen diese Furcht geteilt haben[54].

Man sollte deshalb bei der Wendung οὐκ ἐξ ὄντων ἐποίησεν nicht an eine Anspielung auf das „Nicht-Seiende" der griechischen Philosophie denken, zumal hier nicht von einem absoluten Begriff des μὴ ὄν, sondern im Plural von οὐκ ἐξ ὄντων die Rede ist und in V. 28 eher das Prädikat als das Partizip verneint wird. So bleibt *E. Käsemanns* Vermutung[55], daß in 2 Makk 7,28 direkt gegen die griechische Spekulation

---

[51] Dazu s. u. 5.4.

[52] Vgl. Sanh VII 2; dazu *Lohse*, Märtyrer 43.

[53] MartLugd I 63.

[54] Vgl. dazu *S. Liebermann*, Some Aspects of After Life in Early Rabbinic Literature, in: *H. A. Wolfson* Jubilee Volume (TSAAJR) Jerusalem 1965, I (495-532) 527; *E. M. Meyers*, Jewish Ossuaries: Reburial and Rebirth (BibOr 24) Rom 1971, 88.

[55] *E. Käsemann*, Der Glaube Abrahams in Röm 4, in: Paulinische Perspektiven, Tübingen 1969, (140-177) 160; *ders.*, An die Römer (HNT 8a) Tübingen ²1974, 114f.

des „Nicht-Seienden" polemisiert werde, abzuweisen, wie es auch die Arbeiten von *A. Ehrhardt, G. Scholem, H. F. Weiss und G. Schmuttermayr*[56] nahelegen. In der griechischen Diskussion um das μὴ ὄν geht es ja nicht um die Frage nach der Vorhandenheit von Materie, sondern einmal in der sophistischen Debatte um die erkenntnistheoretische Frage nach dem Wirklichen und Unwirklichen der Phänomene. Und es geht zum anderen um das Noch-Nicht-Geformtsein der Dinge. Auch der griechische Schöpfungsmythos bleibt wie alle Schöpfungsmythen bei dem Wunder des Anfangs stehen. Das Principium im Sinne eines absoluten Anfang fehlt. Das Nicht-Sein der Materie im platonischen Timaios ist kein Nichts im Sinne der Schöpfung aus dem Nichts[57]. „Auch der Demiurg des platonischen Timaios schafft nicht aus Nichts. Stets ist die Materie, die Hyle, als das Unerschaffene da, das er im Hinblick auf die Welt der Ideen bewältigt" (*G. Scholem*)[58]. Weish 11,17 und Philo greifen auf die platonische Kosmogonie zurück. Weish 11,17 zieht den umgekehrten Schluß aus Gen 1,2 in deutlicher Anlehnung an griechische Vorstellungen: „. . . deine allmächtige Hand, die die Welt aus gestaltlosem Stoff geschaffen hat". Philo[59] verwendet die Termini τὸ μὴ ὄν / τὰ μὴ ὄντα nicht im Sinn eines Nihil purum negativum von 2 Makk 7,28. Das Problem einer Creatio ex nihilo kommt bei ihm nicht explizit zur Sprache[60]. Wie Weish 11,17 rechnet Philo in Aufnahme des platonischen Weltentstehungsmythos und der stoischen Physik mit der Präexistenz der ungeordneten, qualitätslosen und ungestalteten Materie vor der Schöpfung[61]. Ist Gott als der Tätige „das wirklich Seiende"[62], so kann die Materie als das Leidende, als Objekt, im Sinne des Nichtseienden verstanden werden, wiewohl Philo nie ausdrücklich die

---

[56] *Ehrhardt,* StTh IV 1, 13-43; *Scholem,* ErJb 25,87-119; *Weiss,* Untersuchungen; *Schmuttermayr,* BZ 17,203-228.

[57] *Scholem,* ErJb 25,88f.

[58] *ErJb* 25,89.

[59] Vgl. Mos II 100.267; Imm 119; Somn I 76; Migr 183; Op 81; Spec IV 187; Her 36.

[60] *Weiss,* Untersuchungen 59.

[61] *Weiss,* Untersuchungen 26ff.

[62] Det 161; Ebr 83; Congr 51; Praem 27.

Materie mit dem Nichtseienden gleichsetzt[63]. Bereits die Septuaginta interpretiert unter dem Einfluß der platonischen Kosmogonie das *Tohuwabohu* von Gen 1,2 als das Unsichtbare (ἀόρατος) und Ungeordnete (ἀκατασκεύαστος)[64]. Im Unterschied dazu, aber in Übereinstimmung mit den späteren Übersetzungen Aquilas (κένωμα καὶ οὐθέν) und Theodotions (κένον καὶ οὐθέν) hat 2 Makk 7 das pure Nichts, die Noch-Nicht-Existenz von Materie, aus Gen 1,2 herausgelesen[65]. Dazu mag beigetragen haben, daß das Verb *bara'* = ποιεῖν im Alten Testament exklusiv für das Schaffen Jahwes ohne Nennung eines Stoffes, aus dem gestaltet wird, verwendet ist[66] und vom Kontext her als Schaffen durch das Wort zu bestimmen bleibt. Ein ähnliches Verständnis zeigen auch jüdisch-hellenistische und urchristliche Parallelen[67]. Der Ruf ins Dasein zeichnet das Wunder der ersten und folglich auch der zweiten, himmlischen Neuschöpfung aus. Der Verstümmelungstod der Brüder, das Verbrennen ihrer Glieder, d. h. die Aufhebung der Integrität ihres Leibes, bedeutet kein Hindernis für die himmlische Neuschöpfung nach dem Märtyrertod.

Auffallenderweise bringt der Verfasser den Begriff oder die Vorstellung einer Neuschöpfung nicht explizit, obwohl in seinen Tagen der Gedanke einer neuen Erschaffung von Himmel und Erde durchaus bekannt ist[68]. Dürfen wir den Grund für diese terminologische Lücke in der Absage von 2 Makk 7 an alle apokalyptisch endgeschichtlich orientierte Eschatologie vermuten? Ganz sicher liegt dem Verfasser mehr an dem Faktum der Rehabilitierung der Märtyrer als an der Klä-

---

[63] Vgl. *Weiss*, Untersuchungen 62.65. An den Stellen, an denen Philo vom Nichtseienden spricht, hebt er nicht auf die Frage des Stoffes ab; vgl. Somn I 76, dazu *Weiss*, 44ff.

[64] Vgl. *A. Schmitt*, Interpretation der Genesis aus hellenistischem Geist: ZAW 86 (1974) (137-163) 150f.

[65] Die Frage nach der Materie der Schöpfung ist dem alttestamentlichen Schöpfungsdenken inadäquat. Erst recht vermag der Hebräer in Gen 1,2 kaum das Nichts auszudrücken.

[66] Vgl. dazu *Cl. Westermann*, Genesis (s. o. Anm. 41) 136, mit Literaturhinweisen.

[67] Vgl. z. B. Weish 11,25; Philo Spec IV 187; Paulus Röm 4,17; Hebr 11,3; 2 Clem I 8; Hermmand I 1; syrBar 14,17; 21,4; 48,8; ConstAp VIII 12. Weitere Hinweise bei *Weiss*, Untersuchungen 12 Anm. 2.

[68] Vgl. Jes 65,17; 66,22; aethHen 91,16; auch 72,1; Jub 1,29.

rung des Wie ihrer Auferstehung, so daß hier Fragen offenbleiben können. Auf diese Tendenz weist noch einmal die Wendung ἐν τῷ ἐλέει hin, die im Rückbezug auf V. 6 mit einem Zusammenfallen von himmlischer Auferstehung der Märtyrer und geschichtlicher Wende für die Theokratie rechnet. „Das ‚Erbarmen' beginnt gerade mit dem Tode der Martyrer. Im selben Augenblick, da Gott sich seines Volkes wieder annimmt, treten auch die Martyrer zu den Heiligen ins Paradies ein, das sozusagen das obere Stockwerk des theokratischen Gebäudes ist" (*D. Arenhoevel*)[69]. Diesen Aspekt entfaltet die abschließende Rede des jüngsten Bruders.

5.1.7 Vers 30-38

Die letzte Rede hat mit ihren zahlreichen Wiederholungen aus dem vorausgehenden Text[70] die Bedeutung einer Zusammenfassung. Das Theologumenon der himmlischen Auferstehung begegnet expressis verbis allerdings nicht mehr. Der Gedanke der Rehabilitierung der Märtyrer durch Gott steht im Vordergrund. Noch einmal wird die Überordnung der Tora über das Gebot des Königs herausgestellt (V. 30), erscheint das Martyrium der Brüder unter dem Doppelaspekt der Strafe für eigene Schuld (V. 32) und in der Stellvertretung für die Schuld des Gottesvolks (V. 33.37f). Die Koinzidenz von Märtyrertod und Heilswende für die Theokratie wird wiederum in Blick genommen (V. 37f). Vor allem aber häufen sich die Straf- und Gerichtsansagen gegen die Hybris des Königs (V. 31.34f.36b.37b). Aus dem Richter wird unter den Worten des Jüngsten ein Angeklagter. In der Gewißheit der Bestrafung des Königs und der Anerkennung Jahwes durch den Tyrannen triumphiert der Märtyrer. Seine Erwartung entspricht der Hoffnung auf die eigene Rehabilitierung durch Gott. Noch einmal greifen auch die Worte den grundlegenden Toratext von V. 6 auf (V. 33). Für den Gehorsamen enthält das Gesetz die Verheißung der unbedingten Zuwendung Gottes, die der Tod unmöglich

---

[69] Theokratie 160.

[70] V. 30: Mose nur noch in V. 6; V. 31 s. V. 18f; V. 33: Anspielung auf das Dtn-Zitat von V. 6; V. 34: Thema der Hybris vgl. V. 16.19; V. 35: s. V. 17; V. 36: s. V. 17.19, Begriff des ewigen Lebens in V. 9; V. 38: s. V. 18.

zunichte machen kann. Für unseren Fragezusammenhang wird besonders der in der Deutung umstrittene V. 36 wichtig[71]. Der Text enthält eine syntaktische Schwierigkeit. Ist der Genitiv ἀενάου ζωῆς mit dem voraufgehenden πόνον oder dem nachfolgenden ὑπὸ διαθήκην θεοῦ zu verbinden? Im letzteren Fall hätte die Wendung ὑπὸ διαθήκην zwei abhängige Genitive bei sich, was nicht unmöglich erscheint. Solche Verbindung mit doppelten Genitiven führt in der Regel dazu, daß ein Genitiv dem Bezugssubstantiv vorangestellt wird[72]. Die Mehrzahl der Kommentare entscheiden sich für diese Verbindung. *H. Bückers*[73] hält diese Konstruktion für ungewöhnlich, da hier der Genitiv durch eine Präposition vom zugehörigen Substantiv getrennt wird, während er normalerweise zwischen Artikel und Substantiv trete. Deshalb zieht er[74] den Genitiv zum vorangehenden Text[75]. An der umstrittenen syntaktischen Auflösung hängt jedoch nur viel, wenn man V. 36 vom Kontext isoliert: „Im ersten Fall erduldeten die Märtyrer eine Qual, die zum ewigen Leben hinführt; im zweiten Fall haben sie das ewige Leben erlangt" *(H. Bückers)*[76]. Nach unserer bisherigen Analyse verbietet der Textzusammenhang die futurische Deutung. Er „weiß nichts von einer zukünftigen eschatologischen Wende", zumindest nicht in naher Zeit. „Die freudige Zuversicht der Märtyrer weist eher auf eine rasche Wende ihres persönlichen Geschickes hin" *(A. Arenhoevel)*[77]. Wenn *H. Bückers* das syntaktische Problem von der sachlichen Erwägung her löst, daß in 2 Makk 7 die kommende Auferstehung der Endzeit dem Märtyrerglauben als Lohn zugesprochen erscheine und unter diesem Aspekt V. 36 zu sehen sei, so geht er von einer falschen Voraussetzung aus.

Wichtig erscheint auch in diesem Abschnitt der Begriff des Bundes. Die Hoffnung auf das ewige Leben unmittelbar nach dem Sterben bildet für die Märtyrer Inhalt einer Bundesverheißung: „Unsere Brüder

---

[71] Vgl. dazu bes. *Bückers,* Bibl 21,406-412.

[72] Vgl. BlDebr 110f § 168; *Bückers,* Bibl 21,409.

[73] S. Anm. 71.

[74] Auch *Bückers,* Makkabäerbücher 205.

[75] Ebenso *Grimm,* Maccabäer 128f; *Marchel,* VD 34,335f; *Hoffmann,* Die Toten 94; *Stemberger,* Leib 21.

[76] Bibl 21, 406.

[77] Theokratie 159.

haben eine kurze Qual auf sich genommen und sind jetzt in den Bereich der göttlichen Verheißung des ewigen Lebens eingetreten". Nach diesen Worten ist die Verheißungsgabe der Tora den sechs gestorbenen Märtyrern bereits zuteil geworden. Das betont am Anfang stehende vῦv zeigt die Wende für den Märtyrer im Augenblick seines Todes an. Das „Erbarmen" hat nun begonnen. Im Vertrauen auf diese Verheißung der Tora stirbt auch der jüngste Bruder.

5.2 ERWÄGUNGEN ZUM THEOLOGISCHEN ORT VON 2 MAKK 7 IN DER ALTTESTAMENTLICH-FRÜHJÜDISCHEN FRÖMMIGKEIT

Die Analyse hat 2 Makk 7 als theologische Dokumentation erwiesen. Die himmlische Auferstehung der Märtyrer wird in der Logik des Rechnens mit der Treue Gottes aus den überkommenen Glaubenszeugnissen als Stimmen der Verheißung abgeleitet. V. 14 spricht diesen Tatbestand ausdrücklich an: „Gern scheidet man aus dem Leben durch Menschenhand, wenn man dabei die von Gott geschenkten Hoffnungen hegen darf, wieder von ihm auferweckt zu werden". Die älteren Glaubenszeugnisse Israels, die zur Auferstehungshoffnung Grund gegeben haben, sind für den Verfasser von 2 Makk nicht die sogenannte Auferstehungstexte im Alten Testament (Jes 25,8; 26,14-19; Ez 37,1-14; Hos 6,1-3). Es sind, wenn man Dan 12 nicht der prophetischen Überlieferung zurechnet, überhaupt keine prophetischen Texte, sondern *Stimmen aus der Tora*.

1. Dem *Toratext* Dtn 32,36 wird die Gewißheit entnommen, daß Toragehorsam Leben bringt und auch der Tod diese „Bundesverheißung" (V. 36) nicht auslöschen kann.

2. Der doppelte *Schöpfungsbericht* am Anfang der Tora Gen 1,1-2,4a (P); 2,4b-25 (J) mit den Aspekten der Weltschöpfung (P) und Erschaffung des Menschen (J) bildet die Schriftgrundlage, aus der die Möglichkeit der unbegrenzten Allmacht des Schöpfers zur Neuschöpfung der Märtyrer abgeleitet wird.

3. Das in den Traditionen der *Schöpfungsweisheit* und des *Gotteslobs Israels* überlieferte Zeugnis von der Weltschöpfung und der Menschenschöpfung im Mutterleib gibt den Anstoß, mit dem Wunder einer Neuschöpfung zu rechnen.

4. Vor allem aber befindet sich 2 Makk 7 in einem *Gespräch* mit der unabgegoltenen Erwartung von *Dan 12*. Die Analyse hat die literarischen und gedanklichen Anknüpfungen an diesen Text der Apokalypse im einzelnen erwiesen. Die apokalyptische Erwartung einer irdischen Auferstehung der in den Endzeitwirren Umgekommenen wird zur postmortalen himmlischen Auferstehung der Märtyrer transformiert. Die Notwendigkeit zu solcher aktualisierenden Veränderung könnte unter anderem durch das Fiasko der apokalyptischen Naherwartung von Dan 12 bedingt sein. Diese war inzwischen durch die geschichtlichen Ereignisse überholt worden. Der Tempelkult, das legitime Hohepriesteramt und auch die repressionsfreie Möglichkeit zum Toragehorsam nach der Weise der Väter wurden ab 165 v.Chr. durch seleukidische Toleranz und Thronfolgestreitigkeiten wieder möglich. Der große Bedränger Antiochos IV. starb 164 v.Chr.. Aber bereits kurz vor seinem Tode hatte die Intervention der Römer im vorderen Orient eine Wende der Dinge gebracht[78]. Über einer solchen geschichtlichen Veränderung konnte man das Ausbleiben des in Dan 7-12 erwarteten Gottesreichs auf Erden verschmerzen. Wer weiß, ob die Nachbardiaspora in Syrien die Hoffnungen der Danielapokalypse überhaupt in dem Maße geteilt hat, wie sie der judäischen Judenschaft eigneten. Ein anderes Problem mußte sich jedoch dort wie in Antiochien einstellen. Den Märtyrern war keine Rechtfertigung in der Geschichte widerfahren, wie sie Dan 12 durch die Erwartung ihrer Auferstehung erhofft. Wenigstens für sie mußte angesichts der veränderten Verhältnisse eine positive Lösung gefunden werden, die ein Eingreifen Gottes über die national-geschichtlichen Fakten hinaus mit sich brachte.

Diese lag auf der Hand, wenn man bedenkt, wie etwa die Tiersymbolapokalypse aus der Zeit um 163/2 v.Chr.[79] in aethHen 90,33 nicht mit einer doppelten Auferstehung, sondern mit einer Auferweckung nur der im Kampf umgekommenen Chasidim rechnet. Die exklusive Auferstehung der Märtyrer war demnach in der chasidischen Bewegung kein unbekanntes Erwartungsmotiv. *B. Alfrink* hat mit guten Grün-

---

[78] Dazu vgl. *Bunge,* Untersuchungen 627.

[79] Dazu vgl. *Wied,* Auferstehungsglaube 85-94; *Reese,* Geschichte Israels 21ff; *Hengel,* Judentum 342.357.

den ein solches exklusives Verständnis auch für Dan 12 vermutet[80]. Die Lösung des Problems im Sinn einer transzendentalen Transformation der Auferstehung bot sich aus Dan 12 selbst an. Zu den Zukunftserwartungen dieser Apokalypse gehörte die besondere Auszeichnung jener chasidischen Vorbilder, jener „Weisen im Volk", die nicht nur als Märtyrer den Schwert- oder Feuertod erlitten, sondern nach Dan 11,33 und 12,3 auch „viele zur Gerechtigkeit geführt haben". Als solche Lehrer des Weges der Gerechtigkeit treten die Brüder und ihre Mutter auf. Die besondere Auszeichnung dieser Gegner des Antiochos hebt Dan 12,3 durch ein astrales Bild[81] hervor: „Doch die Weisen werden glänzen wie der Glanz der Himmelsfeste und die, die viele zur Gerechtigkeit geführt haben, wie die Sterne für alle Zeit." Spätere Texte der Apokalyptik belegen, wie schnell solche metaphorischen Ausdrucksweisen in der religionsgeschichtlichen Umwelt eines Glaubens an die astrale Unsterblichkeit der Seele besonders in den hellenistischen Grabepigrammen[82] zu Aussagen einer transzendenten Hoffnung werden können. So sagt etwa aethHen 104,2 den um des Gesetzes willen Umgekommenen:

„Hofft, denn zuerst hattet ihr Schmach zu erdulden in Unglück und Not, jetzt aber werdet ihr leuchten wie die Lichter des Himmels; ihr werdet leuchten und gesehen werden, und die Pforte des Himmels wird euch aufgetan werden."

In geradezu einmaliger Weise erschließt das Ende der AssMos (um 50 n.Chr.) aus einer metaphorischen Hoheits- bzw. Erhöhungsaussage des Alten Testaments[83] eine Himmelfahrt des gesetzestreuen Israel der Endzeit in die astralen Räume:

„Dann wirst du glücklich sein, Israel,
und du wirst auf die Nacken und Flügel des Adlers hinaufsteigen,

---

[80] S. o. Anm. 12.

[81] Der metaphorische Charakter wird von *Wied*, Auferstehungsglaube 24ff, verkannt.

[82] Vgl. dazu bes. *W. Peek*, Griechische Grabgedichte (SQAW 7) Berlin 1960, Nr. 12(50f); 74(74f); 218(142f); 250(156f); 296(174f); 312(182f); 334(196f); 441(256f); 465(278f); ferner *Hengel*, Judentum 228.279; *Hoffmann*, Die Toten 37ff.

[83] Vgl. zu AssMos 10,8a Dtn 33,29; zu AssMos 10,9 Dtn 32,11.13; s. *Reese*, Geschichte Israels 113-116.

und so werden sie ihr Ende haben.
Und Gott wird dich erhöhen,
und er wird dir festen Sitz am Sternenhimmel verschaffen,
am Ort ihrer Wohnung.
Und du wirst von oben herabblicken und du wirst deine Feinde auf
Erden sehen
und sie erkennen und dich freuen,
und du wirst Dank sagen und dich zu deinem Schöpfer bekennen."
(AssMos 10,8-10)[84]

Auch im 4M 17,4f werden astrale Metapher und himmlische Wirklichkeit ineinander vermengt:

„Getrost deshalb, du Mutter mit der hehren Seele!
Ist dir doch die Hoffung auf Gott, die dich ausharren ließ, verbürgt!
So erhaben steht nicht der Mond am Himmel mitsamt den Sternen,
wie du, die deine sternengleichen sieben Knaben
den Lichtesweg zur Frömmigkeit geführt,
bei Gott in Ehren stehst
und samt ihnen im Himmel eine feste Stätte hast[85]".

Schließlich ist noch auf syrBar 51,10 am Ende des 1. oder Anfang des 2. Jahrhunderts n.Chr. hinzuweisen. Dort heißt es von den auferstandenen und verwandelten Gerechten der Endzeit:

„ Denn in den (Himmels-) Höhen jener Welt werden sie wohnen und den Engeln gleichen und den Sternen vergleichbar sein. Und sie werden verwandelt werden zu allen möglichen Gestalten"[86].

2 Makk 7 läßt sich als Diskussion und Neuinterpretation von Dan 12 verstehen und steht so zusammen mit dem Danielschluß Dan 12,11-13 am Anfang einer Überlieferung, die die Danielapokalypse als Kanon rezipiert und als „Lehrbuch" zur Deutung der jeweiligen geschichtlichen Verhältnisse heranzieht[87].

---

[84] Übers. *E. Brandenburger,* Himmelfahrt Moses, in: Jüdische Schriften aus hellenistisch-römischer Zeit V 2, Gütersloh 1976, 77.

[85] Übers. *A. Deißmann,* in: *Kautzsch* II 173.

[86] Übers. *V. Ryssel,* in: *Kautzsch* II 431.

[87] Zur Rezeption der Danielapokalypse vgl. z. B. *J. C. Lebram,* Perspektiven der gegenwärtigen Danielforschung: JSJ 5 (1974) 1-33; *Berger,* Auferstehung 13.243ff Anm. 23-33.

Weitere Anknüpfungen literarischer Art an alttestamentliche Traditionen und Texte lassen sich nicht deutlich feststellen. So wäre etwa das in Ps 49 und 73,23-26 entdeckte Motiv[88] der Jahwegemeinschaft des Gerechten über den Tod hinaus für die Theologie der Auferstehung in 2 Makk 7 geradezu ein idealer Anknüpfungspunkt gewesen. Aber unser Text bleibt auf Dan 12 fixiert.

Es genügt nicht mit *G. Wied*[89] pauschal eine Aufnahme alttestamentlich-prophetischer Elemente zu postulieren. Dieser denkt einmal an den bei Ezechiel vertretenen Gedanken, daß der Einzelne in seinem bundesgemäßen Verhalten Gerechtigkeit zu erwarten hat, auch wenn das Gottesvolk als ganzes bestraft wird (Ez 18,20.27; 31,1-20) *G. Wied* sieht ferner eine Parallele zur Rehabilitierung des deuterojesajanischen Gottesknechts über den Tod hinaus (Jes 53,10f), die im Zusammenhang mit dem Restitutionshandeln Jahwes an Israel steht. In der Erläuterung und Begründung dieses Handelns an Israel begegnet wie in 2 Makk 7 der Hinweis auf Jahwes Schöpfermacht (Jes 40,12; 41,4; 42,5; 43,19; 44,1f.21.24). Auf den Gottesknecht weist auch *G. W. E. Nickelsburg* hin[90]. Er konstatiert Wortübereinstimmungen und Strukturparallelen mit der Darstellung vom Ergehen des Gottesknechts und macht auf folgende Parallelen aufmerksam: 1. Die Brüder werden mit Peitschen geschlagen (V. 1), dem zweiten zieht man die Haare mitsamt der Kopfhaut ab. Vom Gottesknecht wird in Jes 50,6 ebenfalls Mißhandlung mit Peitschen und das Ausreißen der Haare bezeugt. 2. Das Stichwort „Zunge" (V. 10) begegnet auch in Jes 50,4. 3. Zur Entstellung der Brüder in V. 4.7 stehe die des Gottesknechts in Jes 52,14; 53,2 parallel. 4. In beiden Überlieferungen sind die Könige erstaunt über das Ausmaß der Leidensfähigkeit (V. 12; Jes 52,14).5. Die Entstellung des Knechts wie das Erstaunen des Königs haben nach *G. W. E. Nickelsburg* ihre Parallelen in Weish 2 und 5, d. h. in Texten, die von der Sprache in Jes 52f beeinflußt seien. 6. Die Eleasargeschichte 2 Makk 6 habe Parallelen zum letzten Ebedlied (2 Makk 6,21-25 – Jes 53,9; 2 Makk 6,29 – Weish 5,4 dazu s. 5). 7. Die Makkabäergeschichten und Weish 2,4f ziehen nach *G. W. E. Nickelsburg* gemeinsam Material aus den deuterojesajanischen Gottesknechtsstücken. Alle genannten Texte wie auch Überlieferungen in aethHen gehören nach *G. W. E. Nickelsburg* mit 2 Makk 7 zusammen zu einer von Deuterojesaja ausgehenden „exaltation tradition". Dieser wundert sich dann, daß 2 Makk 7 nichts über die Erhöhung der Brüder berichte. Er erklärt das Fehlen durch unterschiedliche Perspektiven von 2 Makk 7 und der ältesten Tradition. 2 Makk 7 schaue beim Termin der Abfassung schon auf die inzwischen erfolg-

---

[88] Vgl. dazu *Kellermann*, ZThK 73,275 ff.
[89] Auferstehungsglaube 106.
[90] Resurrection 102-111.

te Bestrafung des Königs zurück. Deshalb sei es nicht mehr notwendig, die Erhöhung der Brüder zu erwähnen[91].

Trotz mancher Gleichheiten hat 2 Makk 7 nicht an Texte des Deuterojesaja angeknüpft, wie das Fehlen jeglicher Anspielungen zeigt. Die Übereinstimmungen in der Topik und in Motiven liegen eher in der gleichen Situation des Martyriums begründet. Dabei hätte sich gerade das vierte Gottesknechtslied Jes 52,13-53,12 mit dem szenischen Hintergrund einer himmlischen Rehabilitierung des Märtyrerpropheten[92] dazu angeboten. Im übrigen verkennt G. W. E. Nickelsburg das Anliegen von 2 Makk 7, wenn er das Einbringen des Gedankens der Erhöhung als Rehabilitierung dort nicht feststellen kann. Gerade diese Tendenz verfolgt unser Text. Aber er nimmt keinen literarischen oder gedanklichen Bezug auf die „exaltation-tradition".

Der Ansatz in der Tora- und Schöpfungstheologie im Gespräch mit Dan 12 weist die Lösung des Problems in 2 Makk 7 als eine dem israelitisch-jüdischen Glauben adäquate aus. So erstaunt es bei allen sprachlichen Berührungen nicht, wenn für den zentralen Gedanken der himmlischen Auferstehung der Verfasser nicht an die Hoffnung der astralen Unsterblichkeit der Seele in der hellenistischen Volksfrömmigkeit angeknüpft hat, obwohl dieser bereits im 3. Jahrhundert v.Chr. in das Judentum eingedrungen ist[93]. Eine andere Frage ist natürlich, wieweit er im gedanklichen Austausch mit Unsterblichkeitsvorstellungen des Hellenismus seine Erwartung profiliert und präzisiert hat[94].

---

[91] Resurrection 105.

[92] Vgl. dazu K. Baltzer, Zur formgeschichtlichen Bestimmung der Texte vom Gottes-Knecht im Deutero-Jesaja- Buch, in: Probleme Biblischer Theologie, Fschr G. v. Rad, München 1971, (27-43) 40ff. Der Text spiegelt als Biographie des letzten Lebensabschnitts des Gottesknechts eine himmlische Gerichtsszene wider (Jes 52,13-15; 53, 11b-12), in der das Leiden und Leben des Knechts vom Standpunkt zweier Sprecher dargestellt und dieser durch das Urteil Jahwes rehabilitiert wird (Jes 52,13-15). Der Gedanke der Stellvertretung beherrscht die Beurteilung. Das Urteil Gottes stellt die gerechte Weltordnung wieder her (Jes 50,8f). Schließlich ist auch hier von Erhöhung (Jes 52,13) und postmortalem Leben (Jes 53,10) die Rede.

[93] Vgl. Koh 3,21; dazu Kellermann, ZThK 73,278ff.

[94] Dazu s. u.

5.3 2 MAKK 7 UND DIE AUFERSTEHUNGSTEXTE DES 2. MAKKABÄERBUCHS

In 2 Makk finden sich drei weitere Texte zur Frage der Auferstehung, deren quellenmäßige Herkunft wir im Rahmen unserer Untersuchung nicht klären können: 2 Makk 14,37-46; 15,12-16; 12,38-45. Allen drei Erzählungen eignet die Verbindung von Martyrium bzw. Bekennertod und himmlischer Erhöhung nach dem Tode. Sie gehören deshalb wohl in das gleiche Milieu wie 2 Makk 7[95]. Von ihnen fällt Licht auf den theologiegeschichtlichen Ort von 2 Makk 7.

In der Erzählung vom religiösen *Suizid des toratreuen Razi 2 Makk 14,37-46* begegnen wir, wie die Analyse schon andeutete, der Hoffnung auf eine himmlische Neuschöpfung des Märtyrers. Der vorbildliche Toralehrer setzt wie die Brüder „Leib und Leben" für das Gesetz ein (V. 38). Um den Händen der Verfolger zu entgehen, versucht er zunächst vergeblich, sich von einem Turm zu Tode zu stürzen.

„(45) Noch atmend und vor Zorn brennend, stand er auf, und während das Blut wie ein Quell hervorsprudelte und die Wunden heftig schmerzten, lief er durch die Massen hindurch und bestieg einen steilen Felsen, (46) riß sich, schon fast verblutet, die Eingeweide heraus, nahm sie in beide Hände und schleuderte sie auf die Menge. Dabei *rief er den Herrn über Leben und Odem an, er möge ihm diese wiedererstatten.* So starb er".

Das Auferstehungsmotiv selbst begegnet zwar nicht, die Erwartung einer himmlischen Neuschöpfung wird aber hier in den gleichen Worten wie in 2 Makk 7,11 geäußert.

Das Stichwort der Auferstehung fehlt auch in der Überlieferung von der *Traumvision des Judas Makkabäus 2 Makk 15,12-16.* Dieser erblickt im Traum den Hohenpriester Onias und den Propheten Jeremia als himmlische Fürbitter für das bedrängte Gottesvolk. Onias trägt zum Teil die Züge des Märtyrers Eleasar aus 2 Makk 6.

„(12) . . . Onias, der frühere Hohepriester, ein schöner und vortrefflicher Mann, milde in seinem Wesen, der eine geziemende Sprache führte und von Jugend an alles, was zur männlichen Tugend gehört, gründlich gelernt hatte, war mit erhobenen Händen für die gesamte Gemeinde der Juden bittend ein-

---

[95] Vgl. dazu Bunge, Untersuchungen 314-327.

getreten. (13) Daraufhin sei in der gleichen Haltung eine (zweite) Männer-
gestalt erschienen – überaus ehrwürdig und von wunderbar prächtigem Glanz
umflossen".

Nach der Meinung von Dan 9,26; 2 Makk 3f und aethHen 90,8 hat der
Hohepriester Onias als Toratreuer den Tod durch Mörderhand gefunden; er gilt also hier als Märtyrer. Die Vision geht von der postmortalen himmlischen Erhöhung des Märtyrers aus. Auch der Prophet Jeremia besitzt im Zeichen des Lichtglanzes nach V. 13 das Signum himmlischer Existenz. Dabei muß beachtet werden, daß jüdisch-christliche
Überlieferung, deren ältestes Zeugis in Vita Prophetarum 14 greifbar
ist, vom Märtyrertod Jeremias in Ägypten weiß[96]. So setzt die Judas-
vision die postmortale himmlische Erhöhung zweier jüdischer Märtyrer voraus.

Nach der *Erzählung 2 Makk 12,38-45* haben sich im Glaubenskampf
des Judas gefallene Glieder des Gottesvolkes mit heidnischen Talis-
manen versehen. Um die Schuld dieser Kämpfer zu sühnen, wird eine
Kollekte im jüdischen Heer veranstaltet und zur Darbietung eines
Sühneopfers nach Jerusalem geschickt. Der Erzähler beurteilt diesen
Vorgang folgendermaßen:

„(43) Er tat gut und klug im Gedanken an die Auferstehung. (44) Denn, wenn
er nicht erwartet hätte, daß die Gefallenen auferstehen würden, so wäre es
überflüssig und töricht gewesen, für Tote zu beten. (45) Auch zog er in Be-
tracht, daß auf die herrlicher Lohn warte, die in Frömmigkeit entschlafen
waren – ein heiliger und frommer Gedanke! Daher verrichtete er für die Toten
das Sühneopfer, damit sie von der Sünde erlöst würden".

---

[96] Die Belege hat *H. J. Schoeps,* Die Jüdischen Prophetenmorde, in: Aus frühchristlicher Zeit, Tübingen 1950, (126-143) 136 Anm. 3, zusammengestellt. Vgl. ferner *Chr. Wolff,* Jeremia im Frühjudentum und Urchristentum (TU 118) Berlin 1976; *Berger,* Auferstehung 256f Anm. 72. *Wolff*
bezweifelt, daß 2 Makk 15,12-16 bereits auf die Märtyrertradition zurück-
greift, da der älteste Beleg der Vita aus dem 1. Jahrhundert n.Chr.
stammt (90). Das himmlische Fürbitteramt sei aus dem Auftreten des
Propheten während seiner irdischen Wirksamkeit als Fürbitter abgeleitet. Spätere Tendenz erst mache die Propheten zu Märtyrern. *Wolff*
schätzt u. E. die Parallelisierung mit Onias, der kein Prophet sondern
Märtyrer war, zu gering ein.

Dieser Text rechnet damit, daß auf den Heldentod für die Tora die Auferstehung folgt, die hier nicht als allgemeines Schicksal gilt. Ganz offensichtlich hat die Vorstellung der hellenistischen Volksfrömmigkeit von der himmlischen Belohnung des Soldatentods[97] auf die Erwartung in 2 Makk 12 eingewirkt.

Alle drei Texte spielen in der Zeit der Glaubenskämpfe des Judas Makkabäus, der sich 2 Makk 7 im Kontext ebenfalls zeitlich zuordnet. Die drei zu 2 Makk 7 angeführten Paralleltexte zeigen, daß die im hellenistischen Diasporajudentum Antiochias konzipierte Hoffnung auf die himmlische Auferstehung der Märtyrer, wie sie Dan 12 nahelegte, auch im Palästinajudentum ihren Eingang fand oder parallel entwickelt wurde. Die Übernahme von Dan 12 in der hellenistischen Diaspora Antiochias wie die Aufnahme von 2 Makk 7 als Quelle des Jason im Jerusalemer Umkreis zeigen, wie eng die geistigen Verbindungen judäischer und antiochenischer Märtyrertheologie gewesen sein müssen. Wir dürfen deshalb die Hoffnung auf eine himmlische Erhöhung bzw. Auferstehung der getöteten Glaubenszeugen einer *chasidischen Märtyrertheologie* zusprechen, die ihren Aufbruch in der seleukidischen Verfolgung erlebte und nach der politischen Wende die leidvolle Vergangenheit zu bewältigen suchte. „Es scheint als hätten die makkabäischen Kämpfe den geschichtlichen Anlaß gegeben, diese tiefere Fassung des Märtyrergedankens mit neuer Kraft erstehen zu lassen" (*E. Lohmeyer*)[98]. Nicht alle Gruppen der Chasidim scheinen den Auferstehungsgedanken als Lösung des Theodizeeproblems geteilt zu haben. Das 1. Makkabäerbuch, im Grunde eine sadduzäische Schrift, kennt keine Auferstehung der gefallenen Glaubenszeugen. Es sieht in ihrem frühen Tod, besonders dem der makkabäischen Führer[99], eher Tragik walten. Der Segen des Toragehorsams wirkt sich für diese nur noch in Ruhm und Ehre aus. Sie leben im Andenken des Volkes weiter[100]. „Zu diesem Volk gerechnet zu werden, bedeutet mehr als das Leben" (*D. Arenhoevel*)[101]. Die gefallenen Glaubenszeugen und

---

[97] Dazu s. u. 5.4.

[98] ZSTh 5,238.

[99] Vgl. 1 Makk 9,1-21: Judas; 1 Makk 9,36-43: Johannes; 1 Makk 12,39-52; 13,23-26: Jonathan; 1 Makk 16,11-17: Simon.

[100] 1 Makk 2,51.64; 6,44; 9,10.

[101] Theokratie 30.

Märtyrer in 2 Makk aber werden durch Gott rehabilitiert und erhalten das ewige Leben durch die himmlische Auferstehung.

5.4 MÄRTYRERAUFERSTEHUNG UND HELLENISTISCHER UNSTERBLICHKEITSGLAUBE

Zur Profilierung der Auferstehungshoffnung in 2 Makk 7 genügt es nicht, nur den traditions- und theologiegeschichtlichen Ort in der alttestamentlich-jüdischen Glaubensgeschichte zu bestimmen. Bei der Frage nach der Gattung stellten wir die Nähe zu drei Literaturformen der hellenistischen Welt fest. Die Berichte vom Exitus illustrium virorum, von den philosophischen Martyrien und die antike Consolatio werfen ein bestimmtes Licht auf 2 Makk 7. Bei der inhaltlichen Analyse der Reden fiel besonders in der Unterweisung der Mutter die Aufnahme von Begriffen griechischer Philosophie auf. Stoische Weltelementenlehre und der Begriff des Nicht-Seienden verbinden sich hier mit alttestamentlichen Schöpfungsglauben. Darin erweist sich 2 Makk 7, eine Dokumentation der Diaspora, als Gesprächspartner der hellenistischen Welt. So wird der Verfasser hellenistische Theologumena gekannt haben, die ihn in seinem theologischen Entwurf zumindest indirekt zum Widerspruch reizten oder aber befruchteten, so wie etwa der Glaube an die Unsterblichkeit der Seele in Weish nicht ohne den Unsterblichkeitsglauben der Griechen denkbar ist. Begriffliche und vorstellungsmäßige Nähe läßt sich zu drei Entwürfen hellenistischen Unsterblichkeitsglaubens vermuten: zur Hoffnung griechischer Volksfrömmigkeit auf die astrale Unsterblichkeit der Seele, zur griechisch-römischen Heroisierung des Soldatentods und zum ägyptischen Auferstehungsglauben.

In der *hellenistischen Volksfrömmigkeit*, die besonders in den Grabepigrammen zum Ausdruck kommt[102], äußert sich in vielfältiger Weise die Erwartung einer *Himmelfahrt der Seele* nach dem Tode zu ihrer astralen Unsterblichkeit. Als Beispiel mag eine Inschrift aus Phrygien (2./3. Jahrhundert v.Chr.) dienen:

---

[102] Dazu s.o. Anm. 82.

„Ich heiße Menelaos.
Aber nur mein Leib ruht hier,
meine Seele wohnt im Äther
bei den Unsterblichen"[103].

Das bereits erwähnte Grabepigramm des Antipatros von Sidon (ca.
170-100 v.Chr.) bringt sogar den Auferstehungsbegriff:

„Selig für immer das Volk, das Heraklea den Aufstieg (άνστασιν) zu dem räu-
migen Reich himmlischer Wolken gewirkt"[104].

Die Auferstehungsvorstellung von 2 Makk 7 weiß nichts von einer
allgemeinen Versetzung der Verstorbenen in den Himmel. Sie betont
die Exklusivität der Märtyrerauferstehung. Sie benötigt nicht die Seele
als Kontinuitätsträger zwischen irdischem Leben und himmlischer
Existenz. Der Dualismus von Leib und Seele bleibt unbekannt (2
Makk 7,37). 2 Makk 7 weiß vom totalen Ende des Menschen und hofft
auf das Wunder eines Neuanfangs durch Gott. Schöpfungsglaube
und Unsterblichkeitshoffnung stehen im diametralen Gegensatz zueinander. 2 Makk 7 orientiert die Hoffnung auch nicht räumlich-kos-
misch, sondern weiß die Toten in der Treue Gottes dem Gerechten
gegenüber geborgen. Der Himmel als Ort der Toten wird nicht
erwähnt, wennzwar auch vorausgesetzt. Es geht nicht um räumliche,
sondern um personale Transzendierung des Todes. Schließlich besteht das Anliegen der Auferstehungshoffnung von 2 Makk 7 nicht in
einer unendlichen Verlängerung des Lebens, sondern in der Rechtfertigung und Rehabilitierung der Zukurzgekommenen.
Schon eher liegen Parallelen zur *Heroisierung der Gefallenen* in der
griechisch-römischen Volksreligiosität vor. Die Unsterblichkeits-
erwartung wird hier wie in 2 Makk 7 exklusiv geäußert. Nur besonders verdiente Männer wie die in der Schlacht Gefallenen haben
die Hoffnung, dem Schicksal des Hades zu entgehen und zu einem besonderen Ort der Seligen bzw. in den himmlischen Äther der Sternen-
welt versetzt zu werden[105]. Aufschlußreich über diese Religiosität ist

---

[103] *W. Peek,* Griechische Grabgedichte 250 (157).
[104] Anthologie Graeca 7,748; vgl. *Hengel,* Judentum 359.
[105] Texte bei *Peek;* vgl. auch die Hinweise bei *Michel-Bauernfeind,* Der jüdische Krieg II 2,161-163.

das Monument für die bei Potidäa gefallenen Athener (432 v.Chr.):

„Der Äther hat die Seelen aufgenommen, die Leiber dieser Männer hier die Erde. Vor den Toren von Poteidaia sanken sie hin. Von den Feinden aber fanden die einen ihr Grab, die anderen flohen und setzten auf feste Mauern ihres Lebens verläßliche Hoffnung"[106].

Für den jüdischen Bereich kann man auf die Rede des Titus über den Soldatentod bei Josephus Bell VI 47f hinweisen:

„Wer von den braven Männern weiß denn nicht, daß die Seelen, die in offener Feldschlacht durch den Stahl vom Fleisch gelöst worden sind, vom reinsten Element, dem Äther, aufgenommen und zu den Gestirnen versetzt werden und als gute Geister und freundliche Heroen ihren Nachfahren erscheinen; daß jene Seelen aber, die in dahinwankenden Leibern sich verzehren, mögen sie auch noch so rein von Flecken und schmutzigen Taten sein, von der unterirdischen Nacht vertilgt und von tiefem Vergessen aufgenommen werden, wobei sie zugleich mit dem Ende von Leben und Leib auch das des Andenkens hinnehmen müssen"[107].

In 2 Makk 7, 19.37 finden wir die Anschauung vom Martyrium als Kampf für Gott und Gesetz; so wäre auch hier eine gewisse Analogie nicht von der Hand zu weisen. Auf der anderen Seite wiegen die Unterschiede zum hellenistischen Unsterblichkeitsglauben, wie sie bereits herausgestellt wurden, schwer.

Wie keine andere Religion in der Umwelt Israels hat *Ägypten* gegen das Sterben den Glauben an die transzendente postmortale Existenz gesetzt[108]. In den Dokumenten dieser Religiosität erscheint durch die Jahrhunderte hindurch der Begriff des ewigen Lebens genau so betont wie in 2 Makk 7 und kann der *postmortale Aufstieg der Seele des Verstorbenen in den Götterhimmel* sowie ihr Werden zu Osiris als Auferstehung

---

[106] *Peek* 12 (51).

[107] Übers. *Michel-Bauernfeind,* Der jüdische Krieg, II 2,9.

[108] Vgl. dazu grundlegend *G. Thausing,* Der Auferstehungsgedanke in Ägyptischen Religiösen Texten (Sammlung Orientalischer Arbeiten 16) Leipzig 1943; *S. Morenz,* Ägyptische Religion (Die Religionen der Menschheit 8) Stuttgart 1960, 192ff; *ders.,* Das Problem des Werdens zu Osiris in der griechisch-römischen Zeit Ägyptens, in: Réligions en Egypte Hellénistique et Romaine, Paris 1969, 75-91; *L. Kákosy,* Probleme der ägyptischen Jenseitsvorstellung in der Ptolemäer- und Kaiserzeit, ebd, 59-68.

bezeichnet sein[109]. Während der Leib des Toten im Grabe ruht, öffnet sich dem Ba des Verstorbenen der Himmel[110]. Er erlebt Auferstehung d. h. himmlischen Aufstieg[111]. Im Laufe der Geschichte ägyptischer Religiosität wird diese Hoffnung, die zunächst nur den Königen galt, demokratisiert und in der hellenistischen Zeit grundsätzlich allen Verstorbenen zugesprochen:

„Du steigst empor zu deiner Mutter Nut, sie faßt deine Hand und weist dir den Weg zum Lichtberg, dort wo Re wohnt. Geöffnet werden dir die Pforten des Himmels und aufgetan die Tore von *Kbḥw*.Er faßt dich am Arm und führt dich zum himmlischen Doppelpalast und setzt dich dann auf den Thron des Osiris" (Pyramidentext)[112].
„Zu rezitieren: O NN, tiefer Schläfer, herrlich Erwachender . . . steh auf, du stirbst nicht" (Pyramidentext)[113].
„O NN, du gingst von hinnen, damit du lebst und nicht damit du sterbest" (Pyramidentext)[114].

Trotz mancher begrifflichen Nähe zwischen 2 Makk 7 und ägyptischem Auferstehungsglauben bleiben zu große Unterschiede, die eine direkte Bezugnahme ausschließen. Auferstehung nach ägyptischem Glauben besteht nicht in einem exklusiven Rehabilitierungsakt der Gottheit, sondern ist Ergebnis des für jeden zugänglichen korrekt vollzogenen Begräbnisrituals, liegt also in der magisch technischen Manipulation des Menschen. Ägyptischer Religiosität geht es um die Überwindung des biologischen Todes, 2 Makk 7 aber um die Theodizeefrage. Ägyptischer Auferstehungsglaube basiert auf der Vorstellung vom Göttlichen und Unsterblichen im Menschen[115], kraft dessen er die Identität mit dem Toten- und Auferstehungsgott Osiris erlangen kann, während 2 Makk 7 gerade den Abstand zwischen dem

---

[109] S. Anm. 108.
[110] Vgl. die Pyramidentexte bei *G. Thausing* 422 (77); 463 (95); 477 (103); 553 (121); 697 (138); ebendort Totenbuch 68 (170).
[111] Vgl. die Pyramidentexte bei *G. Thausing* 419 (75); 462 (94); 670 (132); 690 (133); Sargtexte ebendort 44 (143); 47 (144); 48 (145); 49 (147); 50 (149); 51 (149); 52 (150); 53 (150); s. auch o. Anm. 20.
[112] 77f.
[113] 94.
[114] 86.
[115] Vgl. dazu *Morenz,* Ägyptische Religion, 192ff.

ewigen Schöpfer und dem endlichen Geschöpf, das seines Erbarmens bedarf, betont. 2 Makk 7 spricht von himmlischer Neuschöpfung; ägyptischer Glaube rechnet mit Transformationen des unsterblichen Seienden. Er ist zudem an den „lebenden Leichnam" gebunden; der himmlisch Auferstandene kann nur als „Doppelgänger" der Mumie existieren[116]. 2 Makk 7 setzt dagegen mit der Hoffnung auf Neuschöpfung die totale Endlichkeit des Menschen nach Leib und Seele voraus. Er ist völlig von der Neuschöpfung Gottes abhängig. Eigenartigerweise spielt im Denken der Mutter die Integrität des Leichnams als Problem eine Rolle. Aber hier liegt kaum verwandtes Denken vor. Die Hoffnung der Mutter kann dieses Problem jüdischen Glaubens, in dem Leben ohne Leiblichkeit nicht denkbar erscheint, durch den Schöpfungsgedanken überwinden; ägyptische Auferstehungserwartung hat an dieser Frage ihre Grenze.

So zeigt sich im Vergleich mit religiösen Unsterblichkeitsvorstellungen der hellenistischen Welt das besondere Profil der himmlischen Auferstehung der Märtyrer von 2 Makk 7. Mit ihnen allen hat 2 Makk 7 den Gedanken der postmortalen transzendenten Existenz gemeinsam; darin erweist sich unser Text als Kind seiner Zeit. Nur hängt der Theologe des jüdischen Dokuments unlösbar am alttestamentlich-jüdischen *Schöpfungsglauben*. Auferstehung, auch himmlische, ist nur leiblich vorstellbar. Deshalb bedarf es eines neuen Schöpfungswunders, das in der Treue Gottes zu den Seinen begründet ist. Während es in den hellenistischen Texten und Vorstellungen um die „biologische" Überwindung des Sterbens geht, liegt der Ansatz der Auferstehungstheologie von 2 Makk 7 in der Frage nach der *Gerechtigkeit Gottes* dem toratreuen Märtyrer gegenüber. So kreist dort alles Denken um die Unsterblichkeit als absoluter Verlängerung des Lebens, hier aber um das Theodizeeproblem.

---

[116] Vgl. dazu *Morenz*, 208ff.214ff. Von den Texten vgl. bes. Sargtext 20 (*Thausing* 141); 44 (142); Totenbuch 154 (176).

6 Die himmlische Auferstehung der Märtyrer im Frühjudentum und Urchristentum – zur Nachgeschichte des Motivs aus 2 Makk 7

Das Motiv der himmlischen Auferstehung der Märtyrer läßt sich im Frühjudentum, Urchristentum und in der Alten Kirche weiterverfolgen. Auffallenderweise begegnet es expressis verbis nicht mehr in der späteren Überlieferung des Erzählstoffs von 2 Makk 7 mit Ausnahme seiner Umwandlung im 4. Makkabäerbuch.

6.1 DAS AUFERSTEHUNGSMOTIV IN DER ÜBERLIEFERUNG VON 2 MAKK 7

Das älteste Echo auf 2 Makk 7 begegnet uns in der *Himmelfahrt des Mose* AssMos 9,1-7, einer apokalyptischen Schrift aus der Zeit um 30 n.Chr. In der Darstellung der andrängenden Endzeit AssMos 7-10 wird die Geschichte des Makkabäervaters Mattathias[1] und der sieben Brüder aus 2 Makk 7 kontaminiert und typologisch verwertet.

„(1) Dann, während jener[2] herrscht, wird ein Mann vom Stamm Levi (auftreten), dessen Name Taxo sein wird. Er wird *sieben Söhne* haben, zu ihnen sprechen und bitten: (2) ‚Seht, meine Söhne über das Volk ist eine zweite, *grausame, unreine Rache* gekommen und eine *Strafe ohne Erbarmen,* die die erste übertrifft. (3) Denn welches Geschlecht oder Land oder Volk von Frevlern gegen den Herrn, die viele Greuel verübt haben, hat so viel Übel erlitten, wie sie uns widerfahren sind? (4) Nun also, meine Söhne, hört auf mich! Seht doch und wißt, daß niemals weder die Väter noch deren Vorväter Gott versuchten, daß sie seine *Gebote überträten.* (5) Ihr wißt ja, daß darin unsere Kraft besteht. Und so wollen wir dies tun: (6) laßt uns drei Tage lang fasten und am vierten in eine

---

1 Die Gestalt des Taxo ist entweder nach dem Bild des Makkabäervaters Mattathias 1 Makk 2 oder des Eleasar 2 Makk 6 gezeichnet. Die Zusammenordnung von Vater und Söhnen sowie das Rachemotiv V.7 (vgl. 1 Makk 2,67) läßt uns eher an Mattathias denken. Zum Höhlenmotiv V.6 s.o.

2 Der Bedränger der apokalyptischen Notzeit wird als Antityp zu Antiochos IV. Epiphanes gezeichnet.

Höhle gehen, die auf dem Felde ist, und *laßt uns lieber sterben, als die Gebote* des Herrn der Herren, *des Gottes unserer Väter, übertreten.* (7) Denn wenn wir das tun und so sterben, *wird unser Blut vor dem Herrn gerächt werden"*[3].

Die Siebenzahl der Söhne (V. 1), die Treueverpflichtung (V. 6b) und der Rachegedanke (V. 7) haben ihre Entsprechung in 2 Makk 7 wie manche anderen Begriffe[4] auch. V. 6 spielt auf Dtn 32,43 an, während 2 Makk 7,6 auf den parallelen Vers des gleichen Kapitels Dtn 32,36 zurückgeht.[5]. Das Höhlenmotiv in V. 6 wird durch 1 Makk 1,53; 2,31.36.41; 2 Makk 6,11; 10,6 gedeckt. Trotz der auffallenden literarischen Bezugnahme auf 2 Makk 7 begegnet das Auferstehungszeugnis nicht. Allerdings erwartet AssMos 10,7-10 nach der Endtheophanie Gottes auf der Erde zum Gericht die himmlische Erhöhung des ganzen bedrängten Toravolks durch eine Entrückung. Ist hier die Auferstehungshoffnung von 2 Makk 7 zum letzten Akt der Geschichte zugunsten des toratreuen Restes in apokalyptischer Notzeit umgestaltet worden? Die Frage muß gestellt werden, auch wenn sich keine literarischen Anspielungen auf 2 Makk 7 in AssMos 10 ausfindig machen lassen.

Das *4. Makkabäerbuch* aus dem 1. Jahrhundert n.Chr. greift in den Kapiteln 5-18 auf 2 Makk 6 + 7 zurück. Es weist in der Breite seiner Darstellung bereits auf Stil, Topik und Umfang der altkirchlichen Märtyrerakten hin[6]. Die Deutung des Märtyrertods von 2 Makk 7 als Stellvertretung in der Strafe und als geschichtswendende Fürbitte erscheint zur festumrissenen Vorstellung vom sühnenden Ersatz- und Reinigungsopfer der Brüder präzisiert. Die hellenistische Uminterpretation verrät sich in der Umgestaltung der Auferstehungshoffnung zum Glauben an die Unvergänglichkeit[7] und Unsterblichkeit[8] der Seele, der für die Patriarchen und die Märtyrer in exklusiver Weise geäußert wird:

---

[3] Übers. in Anlehnung an E. *Brandenburger,* Himmelfahrt Mosis, in: Jüdische Schriften aus hellenistisch-römischer Zeit, V. 2, Gütersloh 1976, 76.

[4] In der Übers. kursiv gedruckt.

[5] So auch *Nickelsburg,* Resurrection 97.

[6] Vgl. *Perler,* RivAC 25,47-72.

[7] 4M 17,12.

[8] 4M 7,3; 14,5; 16,13.

„Sie liefen alle mit einer Eile zum Foltertod,
als seien sie auf dem Weg zur Unsterblichkeit.
Denn wie sich Hände und Füße harmonisch
nach den Weisungen der Seele bewegen,
so waren jene gottgeweihten jungen Männer
kraft der Unsterblichkeit ihrer frommen Seelen
einmütig in dem Entschluß,
für ihre Frömmigkeit zu sterben" (14,5f).

Bei der postmortalen himmlischen Erhöhung der Brüder wird besonders herausgestellt, daß die Gottesgemeinschaft des Frommen nicht
durch den Tod enden kann (7,19; 9,8; 16,25; 17,5). Die Märtyrer „herrschen über die Triebe des Fleisches", d. h. überstehen die Folter „in
dem Glauben, daß man, wie auch unsere Erzväter Abraham, Isaak und
Jakob, Gott nicht stirbt, sondern Gott lebt" (7,19). Sie treten mit
ihrem Tod in die himmlische Gemeinschaft der Erzväter ein (5, 37;
7,19; 16,25; 18,23) und erhalten eine Ehrenstellung in der Nähe des
göttlichen Throns (17,18). Ihr Martyrium gilt als Geburt in die
Unsterblichkeit (16,13). Auch hinsichtlich des Märtyrers Eleasar
(2 Makk 6) werden solche Aussagen gemacht (5,37; 7,3.19):

„Wahrhaftig, es war ein göttlicher Kampf,
der von ihnen gekämpft wurde . . .
Der Sieg war die Unvergänglichkeit in einem langdauernden Leben.
Eleasar war der Vorkämpfer,
die Mutter der sieben Jünglinge rang mit,
die Brüder kämpften" (17,11-13).

Ohne Frage ist in 4M das Anliegen von 2 Makk 7 in der Interpretatio
graeca aufgegriffen. Dabei darf man aber nicht übersehen, daß es im
Unterschied zu 2 Makk 7 nicht in den Diskussionen, sondern im
Erzählteil bzw. in den Beurteilungen des Verfassers um die Auferstehungsfrage geht. Was in 2 Makk 7 theologisch entwickelt und gewagt werden muß, erscheint in 4M selbstverständlich.
Der jüdische Historiker *Josephus* (geb. 37/38 n.Chr.) kennt wohl die
Tradition der Makkabäerbrüder. Allerdings liegt kaum im Bericht
über eine Episode der Herodeszüge in Galiläa 37 v.Chr. Bell I 312 par
Ant XIV 429f eine Anspielung vor. Hier tötet ein von Herodes in
einer Höhle eingeschlossener Rebell seine sieben Söhne mitsamt der
Mutter, um eine Begnadigung zur Freiheit durch Herodes zu vereiteln.

Bei den gemeinsamen Motiven (Siebenzahl, Beschimpfung des Tyrannen, Mitleid des Königs) handelt es sich eher um Stilisierungen aus dem gleichen Milieu der Märtyrerüberlieferung[9]. Mehr Gemeinsamkeiten liegen zwischen Bell VII 417-419 und 2 Makk 7 vor. Der Abschnitt berichtet von einem Progrom der Juden Alexandrias an geflüchteten Sikariern nach dem Untergang Jerusalems (70 n.Chr.) und Massadas:

„Es gab niemanden, der nicht in Erstaunen gesetzt worden wäre über die Standhaftigkeit der Gefangenen, sei sie nun Tollkühnheit oder auch unverbrüchliche Entschlossenheit zu nennen. Denn obschon man gegen sie Folterung und Verstümmelung ersann, nur um sie dazu zu bringen, die Anerkennung des Kaisers als ihres Herrn auszusprechen, gab doch niemand von ihnen nach. Sie verweigerten diese Aussage und bewahrten trotz des Zwangs standhaft ihre Gesinnung, so als ob der Körper im Erleiden des Feuers keinerlei Empfindung habe und die Seele sich beinahe erfreut zeige. Am stärksten wurden die Zuschauer freilich von dem jugendlichen Alter der Knaben ergriffen; ließ sich doch nicht einer unter diesen dazu überwinden, der Würde des Kaisers als der ihres Herrn Ausdruck zu verleihen. So sehr vermochte die Kraft des Einsatzes die Schwäche der Körper zu beherrschen"[10].

Der Stoff stammt aus einer Märtyrerüberlieferung, die hier wie in 4 M für den hellenistischen Leser aufbereitet wird. Es gibt manche Parallelen zu 2 Makk 7 und 4 M 8-18. Auch in 2 Makk 6,29 wird das Martyrium (des Eleasar) von den Gegnern als ἀπόνοια (Tollkühnheit) beurteilt; allerdings scheint der Begriff auch für Josephus und seine Bewertung der Zeloten typisch[11] zu sein. Über allgemeine Züge der Märtyrerüberlieferung hinaus[12] erinnern die Motive der Verstümmelung, Feuertortur und der Jugendlichkeit der Märtyrer an die Überlieferung der sieben Brüder in 2 Makk 7 und 4 M. Auf 4 M 8,1f.14.27 weist auch die abschließende Bemerkung des Josephus hin. Schließlich ist zu bedenken, daß das Thema der Anerkennung des Kaisers als Herrn in der Neuinterpretation von 2 Makk 7 durch Git 57b und Midr

---

[9] Vgl. dazu jetzt *Loftus,* JQR 66,212-223.

[10] Übers. *Michel – Bauernfeind,* Der jüdische Krieg II, 2,151.

[11] Vgl. Bell VI 350; dazu *Michel – Bauernfeind,* Der jüdische Krieg II 2,202 mit Anm. 188, 282 Anm. 195; *Hengel,* Zeloten 16 Anm. 4,266.

[12] *Loftus* stellt den Zusammenhang mit diesem Milieu unter besonderem Hinweis auf AssMos 9,1-7 heraus.

Echa rabbati zu 1,16 erscheint[13]. Alle diese Texte gehören wohl in den gleichen Überlieferungszusammenhang, an dessen Anfang 2 Makk 7 als Modell steht[14]. Die Auferstehungshoffnung begegnet uns jedoch in dieser Adaption der Tradition nicht.

Jüdische Überlieferung der frühen talmudischen Zeit über die sieben Brüder und ihre Mutter ist nicht belegt. Auch die geringe Zahl der späteren Texte[15] hat wohl ihren Grund in der Tatsache, daß die christliche Kirche sehr schnell diese Märtyrer für sich beansprucht[16]. Erst nach den Zeiten der Christenverfolgungen im Römischen Reich nehmen jüdische Texte wieder Bezug auf die makkabäischen Märtyrer, da die Kirchen nun die Zeugen aus ihren eigenen Reihen aufweisen können.

Die ältesten und umfangreichsten Traditionen finden wir in dem späten *Talmudtraktat Git 57b* und in den Ausführungen des jungen Midraschs zu den Klageliedern *Echa rabbati* zu 1,16. Beide Texte stimmen in den Grundzügen überein. Wir haben an anderer Stelle schon auf ihren Inhalt hingewiesen[17]. Die starke Ähnlichkeit in der Form und im inhaltlichen Aufriß wurde bereits herausgestellt. Das Geschehen spielt nun in den Tagen Hadrians (117-138 n.Chr.) und spiegelt die Erfahrungen des Judentums nach dem zweiten großen Aufstand unter Bar Kochba (132-135 n.Chr.). Die Lehrdiskussion behandelt das Problem des Kaiserkults auf dem Hintergrund des ersten Gebots. Nach der Auferstehungshoffnung sucht man vergeblich[18].

---

[13] Dazu s. o. 3.2 mit Anm. 45.

[14] Vgl. *Michel – Bauernfeind,* Der jüdische Krieg II 2, 282 Anm. 195.

[15] Vgl. außer Git 57b und Midr Echa rabbati zu Klgl 1,16 noch: Pesikt rabbati 43 (Ed. Friedmann 180b) 2. Hälfte 9. Jahrhundert? (gleicht Echa rabbati, nur kürzer und z. T. mit Details nach 2 Makk 7 versehen); Midr Seder Elijahu 28 (30) 2. Hälfte 10. Jahrhundert (stammt aus Echa rabbati); Midr des Dekalogs Beth Hamidrasch (*Jellinek*) I 70 (Anfang 11. Jahrhundert, auf der Grundlage von Git 57b); Jalkut Dtn 301 (Anfang 13. Jahrhundert); ein jüdisch-arabischer Pijjut, auf den *Hirschfeld,* JQR 6, 119-135, hinweist. Vgl. zu diesen Texten *Bacher,* JJGL 4, 78-85; *Lévi,* REJ 54, 138-141; *Surkau,* Martyrien 53 Anm. 83; *Simon,* RHPhR 34, 98-127.

[16] Dazu s. u. Anm. 19-21.

[17] Dazu s. o. 3.2 mit Anm. 45.

[18] Vgl. jedoch den Schluß des jüdisch-arabischen Pijjuts (s. o. Anm. 15): „Und eine Stimme kam vom Himmel: ‚O, Hanna, du und deine sieben Söhne sollen Bewohner des Paradieses werden'" (*Hirschfeld* 135).

Es fällt geradezu auf, daß außer in 4 M der Auferstehungsgedanke in der jüdischen Überlieferung nicht mit dem Stoff des Martyriums der Sieben verbunden erscheint. Als Archetyp aller Martyrien um der Tora willen wird die Geschichte der Brüder durch die jeweiligen Probleme des bedrängten Judentums aktualisiert. In ihnen sieht der Fromme seine Aufgabe bei der Verfolgung um der Tora willen vorwegereignet.

Auch die *Alte Kirche* hat die Geschichte 2 Makk 7 nicht unter dem Aspekt der Auferstehungsverheißung tradiert. Sie macht aus den sieben Brüdern und ihrer Mutter christliche Märtyrer, wie Äußerungen in Paränesen, Homilien und Gedichte über die Makkabäerbücher zeigen[19]. Die ihnen geweihte Märtyrerbasilika in Antiochia[20] und die Widmung eines Festes in den griechischen und lateinischen Kirchen[21] bezeugen ihre Verehrung in der alten Kirche.

6.2 DAS AUFERSTEHUNGSMOTIV IM FRÜHJUDENTUM

Wenn auch die im 2. und 1. Jahrhundert sich herausbildenden Auferstehungserwartungen manchmal kaum deutlich voneinander zu unterscheiden sind[22], läßt sich das Motiv der himmlischen Auferstehung der Märtyrer im Frühjudentum außerhalb der Überlieferung von 2 Makk 7 weiterverfolgen und von der allgemeinen Hoffnung auf die himmlische Erhöhung des Gerechten abheben[23]. Es erscheint allerdings hauptsächlich in Synthese mit der in der gleichen Zeit aus dem

---

[19] Vgl. die Hinweise bei *Grimm*, Maccabäer 133; *Bacher*, JJGL 4, 70-85; *Surkau*, Martyrien 52f Anm. 80; *Lohse*, Märtyrer 72 Anm. 3; *Abel*, Maccabées 383; *Downey*, A History of Antioch 111.447ff; *Schatkin*, VigChr 28,97-113; *Frend*, Martyrdom 19ff; *Maas*, MGWJ 44,145-156; *Simon*, RHPhR 34,103-106; *Townshend*, in: R.H. Charles, The Apocrypha and Pseudepigrapha of the Old Testament II, Oxford 1913, 658-662.

[20] Dazu s. o. 1 Anm. 33f.

[21] 1. August, bereits nach dem syrischen Martyrologium von 411/2; dazu s. o. Anm. 33f. Die Spuren des Festes verlieren sich erst im 13. Jahrhundert. Zur Legende der Überführung der Gebeine aus Antiochia nach Konstantinopel und später Mailand, Rom und Köln vgl. *Rampolla* und *Schatkin*.

[22] Dazu s. o. 1 mit Anm. 1-15.

[23] Dazu s. o. 1 Anm. 9.

hellenistischen Volksglauben aufgenommenen Anschauung[24] von der „Unsterblichkeit" der Seele wie auch in Kombination mit der prophetisch-endgeschichtlich orientierten Heilszeiterwartung einer leiblichen irdischen Totenauferweckung[25].

Im *Jubiläenbuch* aus dem 1. Jahrhundert v.Chr. begegnen wir dem gleichen Denken von irdischer und himmlischer Theokratie in zwei Stockwerken wie in 2 Makk 7, das eine himmlische Erhöhung der Märtyrer nach ihrem Tode voraussetzt. In dem Entwurf der Endbedrängnisse und Heilswende des Gottesvolkes Jub 23,23-29.30f heißt es:

„(23) Und er wird wider sie die Sünder der Heiden erwecken, bei denen kein Erbarmen und keine Gnade ist und die auf niemanden Rücksicht nehmen – weder auf alt, noch auf jung, auf niemanden; denn böser sind sie und stärker, Böses zu tun, als alle anderen Menschenkinder. Und sie werden gegen Israel Gewalt üben und gegen Jakob Sünde, und es wird viel Blut auf die Erde vergossen werden, und es ist keiner, der sammelt, und keiner, der begräbt.

(24) In jenen Tagen werden sie schreien und rufen und beten, daß sie aus der Hand der sündigen Völker gerettet würden; aber keiner ist, der gerettet wird.

(25) Und die Häupter der Kinder werden weiß werden im Greisenhaar, und ein Kind von drei Wochen wird alt erscheinen wie ein Hundertjähriger, und ihre Gestalt wird durch Unglück und Qual vernichtet werden.

(26) Und in jenen Tagen werden die Kinder anfangen, die Gesetze zu suchen und das Gebot zu suchen und auf den Weg der Gerechtigkeit umzukehren.

(27) Und die Tage werden anfangen, viel zu werden und zu wachsen unter jenen Menschenkindern von Geschlecht zu Geschlecht und von Tag zu Tag, bis ihre Tage kommen nahe an tausend Jahre und zwar an mehr Jahre als die frühere Menge der Tage.

(28) Und es gibt keinen Alten und keinen, der seiner Tage satt ist; sondern sie alle werden Knaben und Kinder sein.

(29) Und alle ihre Tage werden sie in Frieden und in Freude vollenden und leben, indem es keinen Satan und keinen Bösen gibt, der sie verdirbt, sondern alle ihre Tage werden Tage des Segens und des Heils sein.

(30) Und dann wird Gott seine Knechte heilen, und sie werden sich erheben und werden tiefen Frieden schauen und werden ihre Feinde vertreiben. Und die Gerechten werden zuschauen und danken und sich freuen bis in alle Ewigkeit in Freude und werden an ihren Feinden all ihr Gericht und all ihren Fluch sehen.

(31) Und ihre Gebeine werden in der Erde ruhen, und ihr Geist wird viel Freu-

---

[24]   Dazu s.o. 1 Anm. 13; *Kellermann*, ZThK 73, 278-282.
[25]   Dazu s.o. 1 Anm. 3.

de haben, und sie werden erkennen, daß Gott es ist, der Gericht hält und Gnade übt an Hunderten und an Tausenden und zwar an allen, die ihn lieben"[26].

Der Nachtrag Jub 23,30f zu dem Endzeitsentwurf Jub 23,23-29 der auf den Beginn der Heilszeit zurücklenkt (V. 27) und mit V. 30 eine Dublette zu V. 29 liefert, unterscheidet zwischen den Knechten und den Gerechten der Heilszeit. In der Gruppe der Knechte stellen sich dem Zusammenhang nach die Überlebenden der Endkatastrophen dar. Sie leiten die Umkehr ein, die nach dem Gericht Gottes zum Heil führt (V. 26). Bei den Gerechten handelt es sich um eine Gruppe Verstorbener, wie der Hinweis auf ihre Ruhe in den Gräbern (V. 31) zeigt. Wenn ausdrücklich betont wird, daß ihre Gebeine ruhen[27] und ihre Hoffnung auf Gericht und Rache sich an ihren Feinden erfüllt[28], so können wir in den Gerechten nur die in der Endkatastrophe umgekommenen Märtyrer von V. 23f sehen. Die Anordnung des Gerichts und der Schrei nach Rache gehört typischerweise zu ihrem Lebensende. Ihre himmlische Erhöhung nach dem Tod, die das Jubiläenbuch nicht als allgemeines Schicksal der Gerechten kennt, wie es auch den Gedanken der Auferstehung nicht hat, wird im Text vorausgesetzt[29]. Die Märtyrer partizipieren am Endheil, das ihnen Rehabilitierung in der Geschichte bringt, als Zuschauer vom Himmel her. Von 2 Makk 7 unterscheidet sich dieser Text einmal in der Verlagerung des Rechtfertigungsgeschehen an das Ende der Geschichte, wobei die Märtyrer gleich nach ihrem Tode in die Gemeinschaft mit Gott treten. Zum anderen wird eine anthropologische Unterscheidung von Gebein und Geist vollzogen. Sie steht zwar ganz in der Nähe der dichotomischen Trennung von Leib und Seele, wahrt aber in der Terminologie noch das altisraelitische Erbe von Gen 2,7 [30]. Allerdings ist aus dem Geist als unpersönlicher Lebenskraft, die nach dem Tod zu Gott zurückkehrt, ein individueller Geist geworden, wie es dem Denken von der Seele beim griechischen Menschen entspricht. Wir begegnen hier dem

---

[26] Übers. nach *E. Littmann*, in Kautzsch II 80.
[27] Vgl. Schab 152b; dazu *Volz*, Eschatologie 29.
[28] Vgl. aethHen 47; Offb 6,9-11; Midr zu Ps 9 § 13 (44b, 45a) (Bill I 226).
[29] So auch *Volz*, Eschatologie 29; *Hoffmann*, Die Toten 101f.
[30] In der griechischen Vorlage des äthiopischen Textes wird wohl πνεύματα gestanden haben, was dem hebräischen *rûḫôt* (*rûăḫ* Gen 2,7) entspricht.

gleichen Desinteresse an der Beschaffenheit des himmlischen Aufer-
stehungsleibs wie in 2 Makk 7. Das Ruhen des Toten im Grabe und
seine himmlische Existenz können nebeneinander gedacht werden.

In der *Weisheit Salomos* aus dem 1. Jahrhundert v.Chr. hebt der erste
Teil Weish 1-5 auf den typisch weisheitlichen Gegensatz zwischen
dem Gerechten und dem gottlosen Frevler ab[31]. Der Gerechte steht
durch die Treue zu Gott und seinem Gesetz in Gefahr, vom Frevler
umgebracht zu werden. So stellt uns der Eingang dieser Weisheits-
schrift das Ergehen eines Märtyrers vor Augen. Der Verfasser ist von
der Realität der postmortalen Jahwegemeinschaft des um der Tora
willen leidenden und getöteten Gerechten sosehr überzeugt, daß er
bei seinem Tod gar nicht den vollen Todesbegriff verwirklicht. Gerechtigkeit ist für ihn unsterblich (Weish 1,13), der Tod des Gerechten nur Schein (Weish 2,23f). So zeichnet Weish 2 eine Situation, in
der der Frevler mit der Verfolgung und Tötung des Gerechten die
Dauer der *Chäsäd* (Treue) Jahwes auf die Probe stellen will. Gegen die
Herausforderung der Frevler setzt der Weise eine Art Arkandisziplin
von der unzerstörbaren Gemeinschaft zwischen dem Schöpfer und
dem (so betroffenen) Geschöpf:

„(22) Nicht erkannten sie die Geheimnisse Gottes,
noch hatten sie Hoffnung auf den Lohn der Frömmigkeit,
noch erkannten sie einen Preis untadeliger Seelen an.
(23) Denn Gott schuf den Menschen zur Unvergänglichkeit,
und zum Bild seiner eigenen Ewigkeit machte er ihn.
(24) Durch die Mißgunst des Teufels kam aber der Tod in die Welt,
und ihn erfahren, die zu ihm gehören" (Weish 2,22-24).

Die Gemeinschaftstreue Gottes gewährt dem Gerechten über den
Tod hinaus unvermindert den Heilsstand weiter[32]. Die ausgesproche-
ne Martyriumstopik im Folgetext *Weish 3,1-6*[33] zeigt uns, daß hier

---

[31] Vgl. dazu *Fichtner,* Weisheit Salomos 13-25; *Ruppert,* Der leidende Gerechte 70-105.

[32] Weish 3,3; 4,7.

[33] Vgl. *Ruppert,* Jesus als der leidende Gerechte 23f; *ders.,* Der leidende Gerechte 90; *Dautzenberg,* Sein Leben bewahren 139; *Flusser* FrRu 25,191. Die
Termini der Märtyrertheologie sind in der Übersetzung kursiv gedruckt.

nicht nur Gedanken, die in Ps 49,16 und 73,23-26 zur postmortalen Jahwegemeinschaft des Gerechten begegnen[34], aufgegriffen worden sind, sondern die Erwartung der Auferstehung des Märtyrers in ihrer Umdeutung auf die Unsterblichkeit seiner Seele dem Text das besondere Profil gibt:

„(1) Der Gerechten Seelen sind in Gottes Hand,
und keine *Pein* kann sie berühren.
(2) Sie schienen den Augen der Toren gestorben zu sein,
und als ein Scheitern wurde ihre Ende beurteilt
(3) und ihr Scheiden von uns als Untergang;
und doch sind sie in Frieden.
(4) Denn, wenn sie auch für das Auge der Menschen *gestraft* werden,
so ist doch ihre Hoffnung voll Unsterblichkeit.
(5) Und nachdem sie wenig gezüchtigt waren,
werden sie viel Gutes erfahren.
Denn Gott versuchte sie
und fand sie seiner würdig.
(6) Wie Gold in einem Schmelzofen prüfte er sie,
und wie ein Ganzopfer nahm er sie an".

Wir begegnen den gleichen Vorstellungen auch in den bei *Josephus* überlieferten und bearbeiteten Berichten *zelotischer Martyrien*. Ohne Zweifel hat Josephus für diese Quellen benutzt. Darauf weisen mehrere Indizien hin. Selbst in Martyriumsberichten über Ereignisse des römischen Krieges werden manchmal Hochachtung und positive Würdigung zum Ausdruck gebracht, obwohl Josephus die Zeloten dieser Zeit schärfstens verurteilt[35]. Neben dieser Divergenz weist auch die gleiche Struktur der Darstellung, die dem Typ der Märtyrererzählung entspricht, in den unterschiedlichen Märtyrerberichten auf das Vorhandensein von Quellen hin. Mit Recht folgert *M. Hengel* in seiner grundlegenden Untersuchung über die Zeloten, daß Josephus zelotische Märtyrerberichte aufgegriffen hat und die Auferstehungshoffnung zur zelotischen Märtyrerfrömmigkeit gehörte[36]. Vielleicht hat auch Tacitus diese Gruppe im Blick, wenn er auf die Erfahrungen des jüdischen Kriegs und der zelotischen Todesverachtung zurückgrei-

---

[34] Dazu vgl. *Kellermann,* ZThK 73,275-277.
[35] Vgl. z. B. Bell I 9-12.
[36] Zeloten 263-277.

fend von den Juden allgemein in Hist V 5 schreibt: „Antimosque proelio aut suppliciis peremptorum aeternos putant: hinc generandi amor et moriendi contemptus".

In Bell I 648-655 par Ant XVII 149-154 erzählt Josephus von den beiden Gesetzeslehrern Juda und Matthias und ihrem Widerstand gegen den herodianischen Adler am Tempel. In ihren Erklärungen vor und nach dem Scheitern des Versuchs, den Adler zu beseitigen, artikuliert sich Märtyrerfrömmigkeit:

„(650) Der König hatte nämlich über dem großen Tor einen goldenen Adler anbringen lassen; die Gelehrten forderten nun auf, diesen herunterzuschlagen; sie sagten, auch wenn eine gewisse Gefahr dabei entstünde, sei es doch gut, *für das Gesetz der Väter zu sterben*. Denn welche ein solches Ende nähmen, *deren Seele werde unsterblich,* und ewig bleibe *das Empfinden himmlischer Seligkeit* . . . (651) Während sie noch so sprachen, kam das Gerücht auf, der König liege schon im Sterben; umso entschlossener schritten daraufhin die jungen Männer zur Ausführung der Tat . . . (652) Das wurde sofort dem königlichen Befehlshaber gemeldet; dieser eilte mit einer beträchtlichen Truppe hinauf, verhaftete etwa 40 junge Leute und brachte sie zum König hinab. (653) Zunächst fragte sie dieser, ob sie es gewagt hätten, den goldenen Adler herunterzuschlagen; sie gaben es offen zu. Als Nächstes: ‚Auf wessen Befehl?' Sie antworteten: *‚Des väterlichen Gesetzes'.* Schließlich wollte er wissen, *weshalb sie so freudig seien,* da sie doch den Tod vor Augen hätten. Sie gaben zur Antwort: *‚Wir werden nach unserem Ende viel größere Freude kosten'"*[37].

Der Bericht ist nach dem Schema der Märtyrererzählung geformt[38], deren wichtigsten Motive er enthält: Verteidigung des Gesetzes unter Lebensgefahr, freimütiges Bekenntnis vor dem Tyrannen, Treue zum Gesetz als alleiniger Autorität, Freiheit von Todesfurcht, Freude im Leiden, das für die Zeloten hier mit dem Verbrennungstod endet (655). Der Text weiß in 650.653 etwas von einem jenseitigen Leben der Märtyrer nach dem Tode. In der Parallelversion Ant XVII 149ff fehlt dieser Aspekt; hier begegnet nur der allgemeine Gedanke mnemosynischer Unsterblichkeit (152): die gesetzestreuen Märtyrer bleiben unvergeßliches Vorbild für folgende Generationen. Josephus scheint mit dem Gedanken der Unsterblichkeit der Märtyrerseele den

---

[37] Übers. *Michel - Bauernfeind,* Der jüdische Krieg I 173.
[38] So auch *Hengel,* Zeloten 264f.

Auferstehungsglauben für den hellenistischen Leser umzuinterpretieren. Man darf gegen diese Annahme kaum Texte halten, die zeigen, daß Josephus den allgemeinen griechischen Unsterblichkeitsglauben übernommen hat. Seine Anthropologie in Bell und Ant kann nicht harmonisiert werden; sie richtet sich eigentlich jeweils nach den Vertretern, deren Anschauung er referiert[39]. Man muß deshalb auch den Bericht über die herodianischen Märtyrer isoliert verstehen und seinen martyrologischen Zusammenhang berücksichtigen. Die Aussagen der beiden Gelehrten setzen nicht Unsterblichkeit als Habitus der Seele voraus, sondern ein *Unsterblichwerden der Seele als Lohn* für *den Märtyrertod*. Für den hellenistischen Leser umschreibt Josephus die Erwartung der postmortalen himmlischen Existenz in der Gemeinschaft mit Gott durch Übernahme von Schlagwörtern hellenistischen Volksglaubens: Empfinden himmlischer Seligkeit, größere Freude nach dem Tode. Im Bericht über die zehn Märtyrer der Herodeszeit (Ant XV 281ff) fehlt wie in der Parallele zu unserem Text in den Ant der Aspekt des Jenseits völlig.

Besonders deutlich referiert Josephus den Gedanken der himmlischen Erhöhung der Märtyrer auch für die zelotischen Essener Bell II 152-155. Gleichzeitig werden hier jedoch auch platonische und pythagoreische Seelenvorstellungen aufgegriffen. Auch dieser Bericht verrät im Ablauf und in der Topik die bekannte Struktur der Märtyrererzählung:

---

[39] Bell I 648-650 Pharisäische Schriftgelehrte: Unsterblichkeit der Seele und Teilhabe an der himmlischen Seligkeit; Bell II 154-158 Essener: platonisch pythagoräische Vorstellungen (s.o.); Bell II 163 Pharisäer: Unsterblichkeit der Seele, Wiederverkörperung der Seele des Guten, ewige Bestrafung der Schlechten; ebenso Ant XVIII 14; Bell III 374 Josephus vor der Selbstübergabe in Jotapata: Aufstieg der Seele in den Himmel bei natürlichem Tod, Abstieg in die Unterwelt bei Suizid; Bell IV 47-53 Rede des Titus vom Soldatentod: Aufstieg der Seele der Gefallenen in den Äther zu den Gestirnen, Versinken der anderen Seelen in unterirdische Nacht und in Vergessen; Bell VII 337-388 Seelenrede des Eleasar vor den Zeloten: Tod als Befreiung der Seele zur Rückkehr an den heimatlichen Ort; Ant XVIII 18 Essener: Unsterblichkeit der Seele. Vgl. noch die Überblicke bei *Michel – Bauernfeind,* Der jüdische Krieg I 438 Anm. 82; II 2,162f (Exkurs XII).

„(152) Deutlich in jeder Beziehung brachte ihren Charakter der Krieg gegen die Römer ans Licht, in dem sie *gemartert, gefoltert, gebrannt* und zerbrochen wurden und ihr Weg durch sämtliche Folterkammern führte, damit sie entweder den Gesetzgeber schmähen oder etwas *Verbotenes essen sollten,* und doch blieben sie fest, weder das eine noch das andere auf sich zu nehmen, auch nicht dazu, ihren *Peinigern* zu schmeicheln oder Tränen zu vergießen. (152) *Unter Schmerzen lächelnd* und der Folterknechte *spottend* gaben sie *freudig ihr Leben dahin* in der *Zuversicht, es wieder zu empfangen* (154) Denn kräftig lebt bei ihnen die Überzeugung: vergänglich seien zwar die Leiber und ihr Stoff sei nichts Bleibendes, die Seelen aber seien unsterblich und würden immer bestehen . . . (155) Wenn sie aber aus den fleischlichen Fesseln befreit seien, dann würden sie Freude haben und *sich in die Höhe schwingen"*[40].

Im zweiten Teil dieser Darstellung wird die Erwartung der Essener unter Hinweis auf Übereinstimmungen mit griechischen Vorstellungen der Unsterblichkeit verallgemeinert (155f). So deutet sich das Motiv der himmlischen Auferstehung der Märtyrer als Rehabilitierung am Ende von 153 in der Interpretatio graeca an.

Auch in der Schrift gegen Apion begegnet der Gedanke einer besonderen Auferstehung der Märtyrer; sie geschieht allerdings auf Erden. Josephus berichtet von der Meinung, „daß denjenigen, welche die Gesetze beachten, und wenn es notwendig sein sollte, dafür zu sterben, bereitwillig ihr Leben hinzugeben, Gott eine neue Existenz gewährt hat und sie in der Umwandlung der Dinge ein besseres Leben empfangen" (Ap II 218f). In anderen Berichten über Martyrien des römischen Kriegs wie z. B. in dem 2 Makk 7 nahestehenden Text Bell VII 415-419[41] fehlt das Motiv der Märtyrerauferstehung. In der berühmten Seelenrede des Eleasar vor dem religiösen Selbsttod der Zeloten von Massada Bell VII 341-357 erscheint der Unsterblichkeitsgedanke ganz allgemein und in platonisch-orphischer Ausprägung: der Körper gilt als Grab der Seele, die durch den Tod zur Rückkehr in die himmlische Heimat befreit wird. So bezeugt Josephus die Kenntnis des Motivs einer postmortalen himmlischen Existenz der Märtyrer und bringt es dem hellenistischen Leser nahe, aber er wendet es nicht konsequent auf alle zelotischen Martyrien an. Dies mag der Bindung an literarische Quellen entsprechen. Wieweit in den zelotischen Mär-

---

[40] Übers. *Michel – Bauernfeind,* Der jüdische Krieg I 211.213.
[41] Dazu s. o. 6.1.

tyrerberichten, die Josephus aufgreift, diese Hoffnung konsequent durchgeführt und ob hier von himmlischer Auferstehung oder Unsterblichkeit der Seele die Rede war, läßt sich nicht mehr feststellen.

Unsere Frage gilt zuletzt den Überlieferungen jüdischer Martyrien bei den Rabbinen der frühen Zeit. Auch *rabbinische Texte* bezeugen neben der Hoffnung auf die himmlische Erhöhung der Seele des Gerechten das besondere Motiv der himmlischen Erhöhung des Märtyrers. Leider sind die entsprechenden Überlieferungen nicht immer eindeutig festzulegen, da der Terminus technicus *Leben der zukünftigen Welt* sowohl die endzeitliche Auferstehung als auch eine jenseitige himmlische Existenz nach dem Tode[42] meinen kann. Wir finden die besondere Märtyrerhoffnung z. B. in der Überlieferung vom Tod Rabbi Chananjas b. Teradjon in der hadrianischen Verfolgung, während der es zu zahlreichen Martyrien toratreuer Juden kam. Sifre Dtn § 307 (133a) zu Dtn 32,4 berichtet vom Protest eines Philosophen beim römischen Statthalter wegen der Hinrichtung des Rabbi:

„Ein Philosoph stand gegen seine Behörde auf. Er sagte ihm (sc. dem Statthalter): ‚Sei nicht übermütig, weil du die Tora verbrannt hast[43]. Denn von dem Augenblick an, wo du ausgingst (sie zu verbrennen), ist sie zurückgekehrt in das Haus ihres Vaters'. Da sagte er (sc. der Statthalter): ‚Morgen wird auch dein Prozeß (stattfinden) wie der gegen diese[44]. Da sagte er (sc. der Philosoph) zu ihm: ‚Du hast mir eine gute Botschaft gebracht. Denn morgen wird mein Teil mit diesen (sc. den Märtyrern) in der zukünftigen Welt sein'"[45].

Nach der Verbrennung des Rabbi springt der Henker, der die Qual des Frommen verkürzte, dem Märtyrer ins Feuer nach:

„Da ging eine Himmelsstimme aus, welche sprach: ‚R. Chanina b. Teradjon und der Henker sind bestimmt für das Leben der zukünftigen Welt'. Beim Erzählen dieser Geschichte weinte Rabbi (sc. Jehuda I., Ende 2. Jahrhundert)

---

[42] Vgl. zur Bedeutung des Terminus *jenseitige Welt* z. B. aethHen 71,15; Pirque R. Elieser 33; GenR 82(52c); Mekh Ex 16,25(58b); Tos Ber VII 21(17); Tos Pea IV 18(24); Bill II 265f; IV 807; *Lohse,* Märtyrer 52–58.

[43] Chananja ben Teradjon wurde in eine Torarolle eingewickelt und verbrannt.

[44] Chananja ben Teradjon, seine Frau und seine Tochter.

[45] Übers. *Lohse,* Märtyrer 53.

und sprach: ‚Mancher erwirbt seine Welt in einer Stunde, mancher in vielen Jahren'" (AZ 18a)[46].

Parallelen dieses Ausspruchs über Chananja ben Teradjon finden sich Sifre Dtn § 307 (133a) zu Dtn 32,4; Sem 8 (16c) und Kallah 18c[47]. Ähnlich heißt es vom Märtyrertod des Qetiah ben Schalom:

„Eine Himmelsstimme aber ging aus und rief: ‚Qetiah b. Schalom ist bestimmt für das Leben der zükünftigen Welt'. Rabbi (sc. Akiba) weinte, (als er diese Geschichte hörte) und sprach: ‚Mancher erwirbt seine Welt in einer Stunde und mancher erwirbt seine Welt in vielen vielen Jahren'" (AZ 10b)[48].

Auch zum Märtyrertod des Rabbi Akiba ergeht nach Ber 61b eine Himmelsstimme:

„Heil dir, Rabbi Akiba, denn du bist bestimmt für das Leben der zukünftigen Welt!"[49].

Nach Pea 50a[50] hört R. Joseph, Sohn des R. Jehoschua ben Levi (um 250 n.Chr) in einer Fiebervision von einer besonderen Abteilung der Märtyrer am Thron Gottes. Zu ihnen gehören Rabbi Akiba und seine Gefährten, ferner die Märtyrer Julianus und Pappus, d. h. die Erschlagenen von Lydda aus der trajanischen Verfolgung[51]. Ähnlich wird von einer Traumvision des Rabbi Acha (um 320 n.Chr.) berichtet. In ihr stehen die Märtyrer in der Welt der himmlischen Seelen Gott am nächsten. (Midr Koh 9,10 [52b])[52]. Schließlich ist noch auf Midr Koh 4,1 (22a)[53] hinzuweisen: die von der heidnischen Regierung Getöteten erlangen das Heil der „zukünftigen Welt", auch ohne vor ihrem Tod ein Sündenbekenntnis abgelegt zu haben. Das rabbinische Judentum hat das Motiv der Märtyrererhöhung gekannt, wenn auch nicht

---

46 Bill I 223.
47 Ebd.
48 Bill I 833.
49 Bill I 224.
50 Vgl. auch BB 10a.
51 Bill I 225.
52 Ebd.
53 Ebd.

besonders betont[54]. In der Vorangstellung der von heidnischer Obrigkeit Getöteten vor den verstorbenen Gerechten wirkt das alte Motiv der Märtyrerauferstehung noch bei der Verallgemeinerung der Jenseitserwartung nach.

6.3 DAS AUFERSTEHUNGSMOTIV IM URCHRISTENTUM

Auch im Neuen Testament begegnet uns mehrfach die Erwartung einer besonderen himmlischen Auferstehung der Märtyrer als Ausdruck urchristlichen Glaubens, der an die vorgegebenen Traditionen des Frühjudentums anknüpft, diese aber christologisch umformt[55].

6.3.1 PHIL 1,23; 3,10f

Hier ist vor allem die *Philipperbriefsammlung*[56] zu nennen. Im paulinischen Briefcorpus begegnen wir einer unausgeglichenen Spannung in der Eschatologie zwischen einer individuellen Erwartung des Heils unmittelbar nach dem Tode und einer Hoffnung auf eine allgemeine irdische, endzeitliche Totenauferstehung[57]. Zu der ersten Richtung gehören der in der Deutung stark umstrittene Text 2 Kor 5,1-10, der für unsere Frage keine Relevanz besitzt, und Phil 1,23; 3,10. Man kann diese Unausgeglichenheit durch Wandlungen paulinischer Eschatologie zu erklären versuchen[58]. Dafür spräche im Philipperbrief das Vorhandensein einer Naherwartung des Tages (der Wiederkunft) Chri-

---

[54] Vgl. die Zusammenstellungen bei Bill I 223-226; *Lohse,* Märtyrer 52-58.

[55] *Lohse,* Märtyrer 205, hält die Textbreite des NTs für gering. Er nennt nur Lk 23,43; Phil 1,23; Offb 6,9-11: „außer geringen Ansätzen in der Apokalypse ist im Neuen Testament diese Anschauung über das Schicksal der Märtyrer nach dem Tode nicht weiter entfaltet worden".

[56] Vgl. dazu *W. Schmithals,* Die Irrlehrer des Philipperbriefes: ZThK 54 (1957) 297-341; *G. Bornkamm,* Der Philipperbrief als paulinische Briefsammlung, in: Neotestamentica et Patristica, Fschr. *O. Cullmann* (NT. S 6), Leiden 1962, 192-202, und die Einleitungen zum NT.

[57] Z. B. 1 Kor 15,23.52-57; 2 Kor 4,14; 1 Thess 4,13-18.

[58] So z. B. *C. H. Hunzinger,* Die Hoffnung angesichts des Todes im Wandel der paulinischen Aussagen, in: Leben angesichts des Todes, Fschr. *H. Thielicke,* Tübingen 1968, (69-88)74; *W. Wiefel,* Die Hauptrichtung des Wandels im eschatologischen Denken des Paulus: ThZ 30 (1974) 65-81.

sti[59], wobei der Ausblick auf eine allgemeine Totenauferstehung in dieser Briefsammlung fehlt. Man mag auf das unausgeglichene Nebeneinander einer Hoffnung auf die himmlische Erhöhung der Seele des Gerechten nach seinem Tode und auf die endzeitliche universale Totenauferstehung im Frühjudentum als religionsgeschichtliche Parallele hinweisen[60]. Man kann aber auch die Philippertexte als persönliche Erwartung des Apostels auf dem Hintergrund der Märtyrertradition verstehen[61], setzen sie doch Haft und Prozeß – wahrscheinlich in Ephesus[62] – voraus, wobei Paulus mit der Möglichkeit eines tödlichen Ausgangs seines Verfahrens rechnet (Phil 1, 20.23). Vor allem E. *Lohmeyer*[63] hat auf die starken Berührungen des Philipperbriefs mit der jüdischen Märtyrerfrömmigkeit hingewiesen, wenn auch seinem konsequent mit diesem Ansatz arbeitender Kommentar[64] eine gewisse Einseitigkeit der Sicht nicht abzusprechen ist. Ohne Zweifel zeichnet Paulus im Philipperbrief sein Geschick stellenweise[65] mit Farben, die wichtigen Motiven der Märtyrertheologie entsprechen[66]. Da-

---

59 Vgl. Phil 3,20f; 4,5 mit 1,6.10; 2,16.

60 So z.B. *Hoffmann*, Die Toten 314ff.321ff; *J. Gnilka*, Der Philipperbrief (HThK X/3) Freiburg – Basel – Wien ²1976, 88-93.

61 So bereits *R. Kabisch*, Die Eschatologie des Paulus, Göttingen 1893, 301-311; *A. Schweitzer*, Die Mystik des Apostels Paulus, Tübingen 1930 (1954) 137; *M. Werner*, Die Entstehung des christlichen Dogmas problemgeschichtlich dargestellt, Bern–Tübingen ²1953, 695; *Lohse*, Märtyrer 204; *Stauffer*, Theologie 165; *E. Bammel*, Judenverfolgung und Naherwartung: ZThK 56 (1959) (294-315) 311 Anm. 5; *Pollard*, BJRL 55, 245f; nicht ganz deutlich bei *G. Stählin*, Die Apostelgeschichte (NTD 5) Göttingen ¹⁰1962, 113. *M. Dibelius*, An die Thessalonicher I II. An die Philipper (HNT XI) Tübingen ³1937, 69, diskutiert die Möglichkeit, verwirft sie dann jedoch, da erst seit Tertullian zwischen einer allgemeinen Auferstehung und einer besonderen der Märtyrer differenziert werde.

62 S. die Einleitungen zum NT; *Gnilka*, aaO. 18-25.

63 *Lohmeyer*, ZSTh 5, 245-247; ders., Der Brief an die Philipper (KEK IX/1) Göttingen ¹³1964, 63f.

64 Vgl. *Lohmeyer*, Philipper, 3-7.37f.45f.53.57-60.63f.72-79. 113f.132.139-141. 144-147.149.158.168.

65 Vgl. bes. *Lohmeyer*, Philipper, zu den nachfolgenden Stellen.

66 Dies wird in der Regel zu gering veranschlagt. So meint *Hunzinger*, Fschr. Thielicke 74, daß der Text für die Deutung von Phil 1,23 im Sinn

zu gehören die Opfervorstellung Phil 2, 17[67], der Vergleich des Mär-
tyrerwegs mit dem Wettkampf in der Arena Phil 3,12f[68] oder dem
Kampf allgemein Phil 1,29f[69], das Motiv der Freude im Leiden Phil
1,18; 4,4[70] und die Sehnsucht nach der himmlischen Gemeinschaft
Phil 1,20.23[71].

„(20) So entspricht es meiner sehnsüchtigen Erwartung, daß ich in keinem
Stück zuschanden werde, sondern daß ganz offensichtlich wie auch immer so
auch jetzt Christus an meinem Leibe verherrlicht werden wird, es sei durch Leben oder durch Tod. (21) Denn für mich bedeutet Leben Christus und Sterben Gewinn. (22) Wenn mir bestimmt ist weiterzuleben, so bedeutet dies für
mich Frucht der Arbeit, und ich weiß nicht, was ich vorziehen soll. (23) Von
beidem werde ich bedrängt: ich habe Lust *abzuscheiden und mit Christus vereinigt
zu sein* – wieviel besser wäre das! – (24) Das Bleiben im Fleisch aber ist notwen-
diger um euretwillen" (Phil 1,20-23).

Durch den persönlichen Zuschnitt der Ausführungen im ganzen Kapitel Phil 1 erscheint hier die Hoffnung auf eine himmlische Erhöhung
nach dem Tode zu Christus in Phil 1,23 als exklusives Geschick des
Apostels und kann deshalb kaum auf dem Hintergrund der frühjüdi-

---

der Märtyrertheologie „keinerlei Anhaltspunkte biete und sie dem Denken des Paulus durchaus fremd sei". *Hoffmann,* Die Toten, betont, daß der
Gedanke der Christusgemeinschaft ohne Einschränkung und ohne Hinweis auf den besonderen Tod des Apostels ausgesprochen sei (290.322).
Ebenso *Gnilka,* aaO. 75: „Eine solche Privilegisierung hätte auch keine
religionsgeschichtliche Parallele, zumindest nicht im Judentum"; ähnlich
Dibelius, aaO. 69.

[67] Vgl. 2 Makk 7,37f.42; 4M 17,22f; 2 Tim 4,6; Offb 6,9; IgnRöm II 2;
IV 1f; VI 3; Smyrn IV 2; VII 1; Eph VIII 1; XVIII 1; XXI 1; Trall XIII 3;
MartPol XIV 1f; ActCarp III 34; MartCon VI 7; MartDas V 2; Euseb
HE V 1,36; Hermsim IX 28,3-6; Barn VI 5; Cypr Ad Fort XIII; De Laps
XVII; Ep LXI 4; LXXVI 3; Orig Exhmart XXVIII; XXXVII; L; vgl.
v. Campenhausen, Idee 95-97; 133 Anm 1; *Lohse,* Märtyrer 203-210.

[68] Vgl. 2 Tim 4,7f; Hebr 12,2; 4M 11,20; 14,4; 17,15f; PassPerp X.

[69] Vgl. o. 3.1 Anm. 26f; 4M 9,23; 13,15; 15,29; 16,14.16; 17,1f.11-14; 2 Tim
2,3; *Stauffer,* Theologie 167.

[70] Vgl. o. 3.1 Anm. 15.

[71] Vgl. 4M 11,7 und die altkirchlichen Märtyrerakten allgemein.

schen Erwartung eines postmortalen jenseitigen Heils für die Seele des Gerechten im Himmel oder im Paradies gesehen werden[72]. Paulus sieht bewußt der Möglichkeit des Todesmartyriums entgegen und weiß in der Bejahung der bekannten Märtyrertheologie, daß auch sein Tod Leben bedeutet. Die Parenthese in V. 23 qualifiziert dieses Leben höher als das irdische und sterbliche[73]. Fast sehnsüchtig nimmt der Apostel die Märtyrerhoffnung für sich in Anspruch, ohne daß dabei der Begriff der Auferstehung fällt. Um der Gemeinde willen, die seiner noch bedarf, verwirft Paulus jedoch die Sehnsucht nach der himmlischen Märtyrerseligkeit. Der Text zeigt eindrücklich den inneren Widerstreit, in dem sich der Schreiber befindet. Paulus deutet jedoch die vorgegebene Tradition in zweifacher Hinsicht um. Er überträgt die frühjüdische Hoffnung auf himmlische Gemeinschaft mit Gott auf die Gemeinschaft mit dem auferstandenen Christus. Und er wendet zum anderen die Formel σὺν Χριστῷ εἶναι, die in der paulinischen Eschatologie sonst die endzeitliche irdische Christusgemeinschaft meint[74], auf den himmlischen transzendenten Bereich an. Vor diesem Hintergrund muß auch Phil 3,10f gesehen werden:

„(8) Ich achte alles für Schaden um des Überschwangs der Erkenntnis Jesu Christi, meines Herrn, willen . . . (10) um ihn zu erkennen und die Kraft seiner Auferstehung und die Gemeinschaft seiner Leiden, gleichgestaltet seinem Tode, (11) ob ich zur Auferstehung von den Toten gelangen möchte" (Phil 3,8.10f).

Der in der Exegese allgemein auf endzeitliche Totenauferstehung gedeutete V. 11[75] steht im Horizont des Martyriums. Paulus stellt die Möglichkeit seines Leidens und Sterbens als Gemeinschaft mit der Passion Christi, als Nachvollzug des Sterbens Jesu, dar. Aus der Parallelisierung des apostolischen Leidens und der Passion Jesu ergibt sich die Analogie in der Auferstehung zwischen dem Herrn und seinem Apostel. Paulus spricht hier eine sehr persönliche Sprache. Seine

---

[72] So jedoch *Hoffmann,* Die Toten 325.330; *Gnilka,* aaO. 73-95.

[73] Die Rede vom Tod als Gewinn wird kaum der griechischen Popularphilosophie entstammen; vgl. dagegen *D. W. Palmer,* To Die is gain (Philippians I 21): NT 17 (1975) 203-218.

[74] Vgl. Röm 8,32; 2 Kor 4,14; 1 Thess 4,17.

[75] Vgl. z. B. *Gnilka,* aaO. 197.

Auferstehung entspricht der des Gekreuzigten. Wir haben hier die Erwartung der besonderen Märtyrerauferstehung wiederum vor uns[76]. Dafür spricht nicht nur die Analogie, sondern auch der Kontext Phil 1,23 und die Wendung ἐκ νεκρῶν (von den Toten), die bei Paulus sonst die vorzeitige einmalige Auferstehung Christi und nicht die allgemeinen Totenauferweckung zum Endgericht[77] charakterisiert. Paulus erwartet eine besondere persönliche Auferstehung vor der allgemeinen. Damit bewegt er sich in der Erwartung von 2 Makk 7. „So wird hier gleichsam ein einzelner aus der Gesamtheit der Toten im voraus erwählt; es ist die Seligkeit, die dem Martyrium bestimmt ist" (*E. Lohmeyer*)[78]. Der Märtyrer gelangt nach Leiden und Sterben unmittelbar in die innigste[79] himmlische Christusgemeinschaft. Wiederum begegnen wir wie in Phil 1,23 der christologischen Uminterpretation, die für die urchristliche und altkirchliche Märtyrererwartung grundlegend wird.

6.3.2 1 Petr 4,19

Möglicherweise begegnet uns auch im 1. Petrusbrief aus der Zeit zwischen 65-80 n.Chr.[80] eine Wendung des Auferstehungsglaubens der Märtyrer. Die Paränese dieses Schreibens mutet Christen Kleinasiens, die in einer heidnischen Umgebung unter Anfeindungen leiden, zu, in der Nachfolge Christi die Verleumdungen[81] und gerichtlichen Repressionen[82] einer nichtchristlichen Gesellschaft zu ertragen und nach dem Vorbild des Gekreuzigten[83] mit einem Todesurteil in Gerichts-

---

[76] So *Lohmeyer*, Philipper 139f; *Pollard*, BJRL 55,245f.

[77] Vgl. Röm 1,4; 4,24; 8,11; 10,9; 1 Kor 15,12f.21.42; auch 15,52; Gal 1,1; 1 Thess 1,10; 4,16; Eph 1,20; Kol 2,12; ferner Mt 22,31; Lk 14,14; 1 Petr 1,3; Hebr 6,2; allgemein nur Röm 11,15.

[78] *Lohmeyer*, Philipper 141. Ebenso deutet auch *Stauffer*, Theologie 165. An eine vorzeitige Auferstehung vor der allgemeinen denken auch *Volz*, Eschatologie 270; *Hunzinger*, Fschr. Thielicke 87.

[79] Vgl. die Bedeutung von *kennen/erkennen* im AT.

[80] Vgl. *L. Goppelt*, Der erste Petrusbrief (KEK XII 1) Göttingen [8]1978, 60-65, und die Einleitungen.

[81] 1 Petr 2,12; 3,16; 4,4.14f.

[82] 1 Petr 3,16; 4,4.

[83] 1 Petr 2,21-23.

verfahren zu rechnen (1 Petr 4,15). Die Situation der Paränese ist so durchaus mit der Lage des Paulus nach Phil 1 vergleichbar. Wir finden in diesem Schreiben nun auch Termini der Märtyrerfrömmigkeit[84]. Der Abschnitt über die Leiden der Glaubenden als Gnade und Gericht[85] 1 Petr 4,12-19 endet mit dem Schluß:

„Folglich sollen auch diejenigen, die nach dem Willen Gottes leiden, ihre Seelen dem treuen Schöpfer im Tun des Guten anvertrauen" (1 Petr 4,19).

Die Aufforderung, „die Seelen dem treuen Schöpfer anzuvertrauen", kennzeichnet eine Sterbesituation und greift eine auf Ps 31,6 zurückgehende allgemeine Wendung[86] auf. Auffälligerweise begegnet aber in dieser Redensart sonst das Bekenntnis zum treuen *Schöpfer* nicht. Demnach darf der Märtyrer nicht nur mit der Treue Gottes über den Tod hinaus rechnen. Mit der Prädizierung Gottes als Schöpfer ist implizit der Gedanke der Neuschöpfung gegeben. So entspricht unser Text eigentlich der Hoffnung auf postmortaler Neuschöpfung in der Märtyrertheologie, wie sie uns in 2 Makk 7,23; 14,46 begegnet. Das Stichwort *Seele* erinnert auch an Weish 3,1-6[87]. Auf der anderen Seite richtet 1 Petr 4,13 den Blick auf ein endzeitliches endgültiges Heilsgeschehen. Zu 1 Petr 4,13.19 existiert in 1 Clem XXVI 1 und XXVII 1 eine nahe Parallele, die in gleicher Weise Glaubenstreue und Auferstehung mit der Hoffnung auf die Treue des Schöpfers zusammensieht: „Halten wir es nun für besonders erstaunlich, wenn der Schöpfer die Auferstehung aller, die ihm in der Zuversicht rechtschaffen

---

[84] Vgl. zum Prüfungs- und Läuterungsmotiv 1 Petr 1,7; 4,12 die Texte 2 Makk 6,12-17; Weish 3,5; zum Leiden der Märtyrer als Gericht über das Gottesvolk nach 1 Petr 4,17 o. 3.1 Anm. 29f; zum Motiv des unschuldigen Leidens 1 Petr 2,23; 3,17f o. 3.1 Anm. 28; zur Freude im Leiden 1 Petr 1,6.8; 4,13; o. 3.1 Anm. 15.

[85] *Goppelt*, aaO. 293.

[86] Vgl. Lk 23,46; Apg 7,59; auch 1 Clem XXVII 1; ferner Seneca Heracles Oetaeus 1707f („Nimm meinen Geist, ich bitte dich, zu den Sternen auf"); 1729f („Siehe, mein Vater ruft mich und öffnet den Himmel. Ich komme, Vater, ich komme"). In der jüdischen Frömmigkeit dient die Formel nach Ps 31,6 als kurzes Abendgebet; vgl. Bill II 269.

[87] Auf den Zusammenhang macht auch *Berger,* Auferstehung 378 Anm. 495, aufmerksam.

Glaubens heilig gedient haben, bewirken wird . . . Durch diese Hoffnung also sollen unsere Seelen an den gebunden sein, der getreu ist in seinen Verheißungen . . .". In Blick auf 1 Petr 4,13 kann man bei V. 19 wohl noch nicht von einem endgültigen jenseitigen Heil der getöteten Gerechten sprechen[88]. Mit einem besonderen Status der Märtyrer nach ihrem Tode in der Gemeinschaft Gottes scheint aber auch die Paränese des 1. Petrusbriefs zu rechnen.

6.3.3 DAS ERHÖHUNGSMOTIV IM LUKANISCHEN WERK

Es kann kein Zweifel daran bestehen, daß Lukas die Passion Jesu als Martyrium zeichnet[89]. Die gilt besonders für den engeren Passionsbericht Lk 22,1-23,56 und die Erscheinungsgeschichten Lk 24. Der leidende Christus dient als Vorbild der Seinen, die ebenfalls den Weg des Leidens zu gehen haben[90], wenngleich Jesu Leidensweg mehr ist als das Urmartyrium der Christen[91]. Die Planmäßigkeit[92], mit dem die Passion sich nach dem von Gott festgelegten und vorausbestimmten Weg ereignet, unterscheidet den Weg des Messias vom Martyrium des leidenden Gerechten[93]. In der Kreuzigungsszene tritt das Motiv der himmlischen Erhöhung des Märtyrers klar zutage. So weist der Schächer am Kreuz auf die Unschuld Jesu hin, wie es in den Märtyrerberichten üblich ist[94]: „Dieser aber hat nichts Unrechtes getan" (Lk 23,41). Er bittet den Märtyrer Jesus um Teilhabe an dessen postmorta-

---

[88]   Interessant ist G. *Wohlenberg*, Der erste und zweite Petrusbrief und der Judasbrief (KNT XV) Leipzig–Erlangen ³1923, 143: „Vom Märtyrertode redet der Apostel hier nicht. Könnte der Ausdruck παρατίθεσθαι τὰς ψυχάς daran denken lassen (vgl. Lc 23,46; Ps 31,6), so spricht doch sowohl der ganze Abschnitt wie auch das ἐν ἀγαθοποιίαις dagegen".

[89]   Vgl. dazu im einzelnen *Surkau*, Martyrien 90-100; W. *Grundmann*, Das Evangelium nach Lukas (ThHK III) Berlin ⁸1978, 388; A. *Stöger*, Eigenart und Botschaft der lukanischen Passionsgeschichte: BiKi 24 (1969) 4-8; G. *Schneider*, Das Evangelium nach Lukas (ÖTK III 2), Gütersloh und Würzburg 1977, 438f.

[90]   Vgl. Apg 14,22.

[91]   *Schneider*, aaO. 439.

[92]   Vgl. Lk 9,22.44; 24,46.

[93]   *Schneider* ebd.

[94]   Dazu s. o. 3.1 Anm. 28.

lem Heil: „Jesus gedenke meiner, wenn du in dein Reich kommst" (Lk 23,42). Das Reich ist hier nach Lukas himmlische Wirklichkeit[95]. Der Gekreuzigte tritt durch den Tod hindurch die ihm gestiftete Herrschaft im Himmel an[96]. In der Stunde seines Todes ereignet sich für den Märtyrer die himmlische Auferstehung, wie Jesus in der Autorität eines Amen-Worts versichert: „Amen, ich sage dir, heute wirst du mit mir im Paradies sein" (Lk 23,43). Durch den unmittelbaren Textzusammenhang von Frage und Antwort bedeutet das Paradies hier mehr als der Ort, an dem nach jüdischer Vorstellung die Gerechten den Anbruch der endzeitlichen Gottesherrschaft erwarten[97]. Es erscheint als himmlische Wirklichkeit[98]. Die Bitte des Schächers findet unmittelbar nach dem Tode ihre Erfüllung, wie das betonte *heute* anzeigt. Eine Parallele zu dieser Szene wird uns in der Tradition vom Martyrium des R. Chananja ben Teradjon 135 n.Chr. nach der Fassung des jüngeren Traktats AZ 18a überliefert: „Es sagte der Exekutor zu ihm: ‚Rabbi, wenn ich das brennende Feuer vergrößere und die Lappen von deinem Herzen wegnehme, bringst du mich zum Leben des kommenden Äon?'. Er spricht zu ihm: ‚Ja'". In diesen Zusammenhang gehört auch die Nachricht von einem mit dem Rabbi sympathisierenden Philosophen, dem der Statthalter deswegen Vorhaltungen macht und die gleiche Hinrichtung am kommenden Tag ankündigt: „Eine gute Botschaft hast du mir verkündet, morgen wird mein Teil bei diesem sein in der zukünftigen Welt" (Sifre Dtn § 307 zu 32,4 [133a])[99]. Sicherlich meint der letzte Schrei Jesu am Kreuz „Vater, in deine Hände befehle ich meinen Geist" Lk 23,46 mehr als das Abendgebet des frommen Juden[100], mit dem der Sterbende sich Gott befiehlt[101]. Der laute Sterbensschrei eines Gekreuzigten erscheint überraschend; er entspricht

[95]   *Grundmann,* aaO. 434.
[96]   *Grundmann,* ebd.
[97]   So allerdings *P. Grelot,* „Aujourd'hui tu seras avec moi dans le Paradis" (Luc XXIII, 43): RB 74 (1967) 194-214.
[98]   Zum himmlischen Paradies vgl. 2 Kor 12,4; ferner 4Esd 4,7; ApkMos 37; VitAd 25,3; TestAbr 10B; grBar 4,8; slavHen 8,1; Chag 12b.15b; GenR 65 zu 27,27; *Bietenhard,* Die himmlische Welt 160-173 (zu Lk 24,43 s. 171); *J. Jeremias,* παράδεισος, in: ThWNT V (763-771) 766f.
[99]   Bill II 264.
[100] S.o. mit Anm. 86.
[101] Ebd.

nicht der Art, in der normalerweise der Deliquent am Kreuz verröchelt. Die auffällige, Jesus eigene Abba-Anrede Gottes betont die Verbundenheit zwischen dem Märtyrer und dem himmlischen Gott. Man wird, wie *W. Grundmann* mit Recht in seinem Kommentar zur Stelle notiert[102], an die letzten Worte des Heracles nach Senecas Heracles Oetaeus (1729f) erinnert: „Siehe, mein Vater ruft mich und öffnet den Himmel. Ich komme, Vater, ich komme". Allerdings sollte die Stelle doch auf dem Hintergrund jüdischer Tradition verstanden werden. Der letzte Schrei Jesu signalisiert den Sieg des Märtyrers über seine Feinde[103] und leitet zum Aufstieg des getöteten Gerechten in die Gemeinschaft mit dem himmlischen Vater über.

Zwei Stellen der Erscheinungsberichte Lk 24 weisen auf ein solches Verständnis des Sterbens Jesu zurück. Die von Lukas in 24,46 eingebrachte Reflexionsformel „Mußte nicht der Messias solches leiden und in seine Herrlichkeit eingehen" rechnet mit einer unmittelbaren himmlischen Erhöhung des Gekreuzigten. Vielleicht ist auch die als Sondergut des Lukas bezeugte Engelbotschaft Lk 24,5 „Was sucht ihr den Lebendigen bei den Toten? (Er ist nicht hier, sondern er ist auferweckt!)[104]" auf dem Hintergrund der Märtyrertheologie zu verstehen, wenngleich die Engelfrage im Stil einer sprichwörtlichen Wendung ergeht[105]. Jesu Tod bedeutet im Unterschied zum Tod Anderer Durchgang zum Leben. Wiederum verbindet sich hier in der nachgeschobenen Erklärung mit der Auferweckung der räumliche Aspekt; dem „nicht hier (auf Erden)" entspricht ein gedankliches „im Himmel". Jesus gehört nicht mehr dem Totenreich an. Der Tod des Märtyrers erfährt durch Gott im Himmel seine Aufhebung. Wie in 2 Makk 7 wird der Märtyrer rehabilitiert durch die Gabe des himmlischen Lebens, wie es Luk 24,46 zum Ausdruck bringt.

Noch deutlicher erscheint die lukanische Sicht des Todes Jesu als Weg durch den Märtyrertod zur himmlischen Auferstehung in den christologischen Sätzen der Missionsreden der Apostelgeschichte[106]. Den

---

[102] *Grundmann,* aaO. 435.

[103] Zum Sieg des Märtyrers s. o. 3.1 Anm. 26.

[104] Zur textkritischen Frage des zweiten Satzes vgl. die Kommentare.

[105] Vgl. die Hinweise bei Bill II 269.

[106] Vgl. *E. Schweizer,* Erniedrigung und Erhöhung bei Jesus und seinen Nachfolgern (AThANT 28) Zürich ²1962, 53-62.

Texten Apg 2,23f.32f; 3,14; 4,10; 5,30; 10,39f; 13,27-30, die auf die Formulierung des Lukas zurückgehen[107], eignet die Vorstellung von der
postmortalen himmlischen Erhöhung und Rehabilitierung des getöteten Gerechten. Es begegnen uns hier Motive der Märtyrertheologie
wie die Betonung der Unschuld des Getöteten (Apg 3,14; 13,28) und
der Heilswende im Augenblick des Märtyrertods (Apg 5,31f). Die
Stichworte *Auferstehen/Auferweckung* erscheinen im räumlichen Koor-
dinatensystem von irdischem Leiden und himmlischer Erhöhung[108]:

„Der Gott unserer Väter hat Jesus auferweckt,
den ihr umgebracht habt, indem ihr ihn ans Holz hängtet.
Diesen hat Gott zum Fürsten und Retter erhöht zu seiner Rechten,
um Israel Buße und Vergebung zu schenken" (Apg 5,30f).

Schließlich ist im Rahmen des lukanischen Werks noch auf einen Teil
der Stephanusgeschichte hinzuweisen[109]. In visionärer Vorwegnahme
seines Wegs erblickt der Urmärtyrer der Kirche, wie es oft in den Märtyrerakten begegnet[110], die himmlische Lichtherrlichkeit Gottes als
Ziel seines Leidenswegs: „Da rief er: ,ich sehe die Himmel offen und
den Menschensohn zur Rechten Gottes stehen'" (Apg 7,55f). Die Vision des Menschensohns hat hier nicht einfach nur die Funktion, dem
Gottesvolk das Gericht anzusagen, wie es vor allem *R. Pesch*[111] betont.
Das Motiv des geöffneten Himmels führt uns in die Märtyrerüberlieferung, wie sie in Apg 7 ganz stark aufgegriffen erscheint. So heißt es
zum Beispiel für die Märtyrer in aethHen 104,2: „Seid guter Hoffnung! Denn zuerst wart ihr der Schande durch Unglück und Not
preisgegeben, aber nun werdet ihr wie die Lichter des Himmels leuchten und scheinen; die Pforte des Himmels wird euch aufgetan sein"[112].
Der Auferstandene *sitzt* nicht wie üblich zur Rechten Gottes[113]. Er hat

---

[107] Zum Anteil des Lukas als Verfassers in diesen Texten vgl. *U. Wilckens,*
Die Missionsreden der Apostelgeschichte (WMANT 5) Neukirchen
³1974.

[108] Vgl. bes. Apg 2,24.32f; 3,13-15; 4,10; 5,30f; 13,30.

[109] Zur Stephanusgeschichte als Märtyrerbericht vgl. bes. *Surkau,* Martyrien
105-119.

[110] Dazu s. o. 3.1 Anm. 31.

[111] *R. Pesch,* Die Vision des Stephanus (SBS 12) Stuttgart 1966.

[112] Übers. *G. Beer,* in: *Kautzsch* II 307f.

[113] Vgl. z. B. Lk 20,42; 22,69; Apg 2,34.

sich vielmehr erhoben, um seinen Märtyrer ehrenvoll zu empfangen[114]. Wenn auch in diesen Passagen der Auferstehungsbegriff nicht begegnet, so wird doch das jüdische Motiv der sofortigen himmlischen Auferstehung des Märtyrers in der Form der Erhöhungserwartung wie in Phil 1,23 christologisch umgedeutet: der christliche Märtyrer tritt nach seinem Tode in die Auferstehungsgemeinschaft mit dem Gekreuzigten ein.

6.3.4 Martyrium und Auferstehung im Hebräerbrief

Die Vorstellung einer besonderen Auferstehung der Märtyrer wird unseres Erachtens auch im Hebräerbrief vorausgesetzt. In der Glaubensgeschichte Israels stellt sich nach *Hebr 11,32-40* die Endphase als eine Geschichte des Leidens der Propheten und Märtyrer dar:

„(35) Frauen empfingen durch die Auferstehung Tote wieder. Andere aber wurden zu Tode gefoltert, ohne die Freilassung anzunehmen, *damit sie eine bessere Auferstehung erlangten.* (36) Wieder andere nahmen die Erfahrung von Quälereien und Auspeitschungen auf sich, dazu Bande und Gefängnis. (37) Sie wurden gesteinigt, im Verhör gepeinigt und zersägt, durchs Schwert getötet. Sie zogen umher in Schafspelzen, in Ziegenfellen, unter Mangel, bedrängt, gequält. (38) Sie, deren die Welt nicht wert war, irrten in Wüsten umher, auf Bergen, in Höhlen und in den Löchern der Erde. (39) Und diese Männer haben alle durch den Glauben das Zeugnis der Schrift erlangt, erwarben aber die Verheißung noch nicht, (40) weil Gott um unseretwillen etwas Besseres vorgesehen hatte, in der Absicht, daß sie nicht ohne uns zur Vollendung kämen".

Es geht in dieser Skizzierung von Martyrien um das Zeugnis, daß der Glaube sogar der Auferstehung gewiß sein darf. Nach einer Anspielung auf Elia-Elisa-Geschichten (1 Kön 17,17-24; 2 Kön 4,18-37) greift

---

[114] *G. Stählin,* Die Apostelgeschichte (NTD V), Göttingen [10]1962, 113; *H. Conzelmann,* Die Apostelgeschichte (HNT VII) Tübingen 1963, 51. Wenn *Pesch,* aaO. 52-58, die Meinung vertritt, der Menschensohn erhebe sich nicht *für* Stephanus, sondern *gegen* dessen Feinde, so ist dies konstruiert. Das eine bedingt das andere, so auch jetzt *M. Hengel,* Zwischen Jesus und Paulus: ZThK 72 (1975) (151-206) 193f Anm. 141.

der Verfasser in V. 35f deutlich auf 2 Makk 6 und 7 zurück[115]. „Wie in 2 Makk 7,9.14 wird offen der Hoffnung auf ein ewiges Leben bei Gott Ausdruck verliehen" (*A. Strobel*)[116]. Ab V. 37 wirken andere Märtyrerüberlieferungen ein[117]. Sie alle sind für den Verfasser interessant, um das unlösbare Miteinander von Martyrium und Auferstehungshoffnung zu dokumentieren. Das Problem besteht in der Klärung des Auferstehungsbegriffs von Hebr 11. In V. 35 wird der Rückkehr der Toten in das irdische Leben eine „bessere Auferstehung" gegenübergestellt. Die Bezugnahme auf 2 Makk 7 in V. 35f legt hier die Deutung einer postmortalen himmlischen Auferstehung nahe[118]. Andererseits wird das Motiv der *besseren* Auferstehung in V. 40 mit der zeitlichen Bezugskomponente der Zukunft versehen. V. 39 stellt geradezu das Erlangen der Auferstehung durch Märtyrer in der Vergangenheit in Frage. „Die eschatologische Vollendung der einzelnen Glaubenszeugen des Alten Bundes steht . . . noch aus" (*O. Michel*)[119]. Nun kann man aber im Hebräerbrief auch von einer Transzendenz des Eschatologischen und dementsprechend von seiner Präsenz sprechen[120]. Die Heilsgeschichte hat ihr Ziel erreicht (Hebr 12,2). „Die ‚letzten Dinge' liegen in ewiger Bereitschaft über der sichtbaren Welt und stehen in unmittelbarer Nähe vor der Erwartung des Menschen" (*O. Michel*)[121]. Dieses Ineinander von Irdischem und Himmlischen, Gegenwart und Zukunft macht eine zeitliche Bestimmung des Auferstehungsgedankens in Hebr 11 im Blick auf die Märtyrer schwierig. In jedem Fall verbindet Hebr 11 in Rückgriff auf 2 Makk 7 Martyrium und Auferstehung als Verheißung für die Märtyrer.

---

[115] Vgl. zur Möglichkeit der Freilassung 2 Makk 7,24-28; ἐμπαιγμός (nur hier im NT) und μαστίγες 2 Makk 6,30; 7,1.7.10.37; Auferstehungsmotiv; zum Verheißungsbegriff V. 39 vgl. 2 Makk 7,37. Die Abhängigkeit von 2 Makk 6f behaupten auch *O. Michel*, Der Brief an die Hebräer (KEK XIII) Göttingen [12]1966, 417f mit Anm. 4.5; *A. Strobel*, Der Brief an die Hebräer (NTD IX) Göttingen [11]1975, 225.

[116] Ebd.

[117] Vgl. dazu *Strobel*, aaO. 225-227.

[118] Anders jedoch *Michel*, aaO. 418 (eschatologische Vollendung).

[119] AaO. 421; vgl. Hebr 6,2; auch 11,19.

[120] Vgl. *Michel*, aaO. 423; dazu Hebr 1,2; 2,4; 6,5.

[121] Ebd.

Nach dem Blick auf die um ihres Glaubens willen Verfolgten und Getöteten in Hebr 11 folgt mit Hebr 12 der paränetische Aufruf:

„(1) Darum also, weil wir eine so große Wolke von Zeugen um uns haben, laßt auch uns nach Ablegung allen Ballastes und der bestrickenden Sünde mit Ausdauer in dem Kampf laufen, der in Aussicht steht, (2) indem wir auf Jesus, den Anfänger und Vollender des Glaubens blicken, der um der vor ihm liegenden Freude willen das Kreuz in Mißachtung der Schande erduldete und sich sogar ‚zur Rechten' des Thrones Gottes ‚gesetzt hat'" (Hebr 12,1f).

Der Begriff des Zeugen ist in diesem Text zwar noch nicht im späteren technischen Sinn des Märtyrers als Blutzeugen gebraucht, sondern meint den Zeugen der Wahrheit und des Rechts des Glaubens. Es klingt in diesen beiden Versen Topik der Märtyrerüberlieferung an. Das Bild des Wettkampfs gehört dazu[122], wenn es auch sonst in der Paränese als beliebtes Bild der Diatribe erscheint[123]. Die Motive der Ausdauer[124], Freude[125] und Mißachtung der Schande[126] sind in gleicher Weise zu nennen, wenngleich Freude hier nicht Freudigkeit im Martyrium meint und die Mißachtung sich nicht auf den Schmerz bezieht. Wir begegnen dem Motiv der unmittelbaren postmortalen Erhöhung zu Gott. Der Aufforderung des Aufblickens auf Jesus entspricht vielleicht das Zeugnis über die makkabäischen Märtyrer in 4M 17,10: „Sie haben das Volk gerettet, zu Gott aufblickend und den Folterqualen bis in den Tod standhaltend". So erscheint in dieser Paränese Christus sozusagen als der Urmärtyrer für die, die seinem Martyrium nachfolgen, wenn auch der christologische Würdetitel „Anfänger und Vollender des Glaubens" Jesu Bedeutsamkeit über diese Funktion weit hinaussteigert. Die christologische Grundvorstellung vom Durchgang des leidenden Christus durch den Tod zur himmlischen Freude des Sitzens zur Rechten Gottes gleicht den besprochenen lukanischen Texten.
Wir kommen damit zur komplexen *Christologie des Hebräerbriefs*. Ihr liegt ein Bild zugrunde, nach dem der Gekreuzigte am Karfreitag als

---

[122] S. o. Anm. 68.
[123] 1 Kor 9,24-27; Gal 2,2; 5,7.
[124] Vgl. 4M 17,17.
[125] S. o. Anm. 70 und 3.1 Anm. 15.
[126] S. o. 3.1 Anm. 12.

himmlischer Hoherpriester im Aufstieg in das himmlische Heiligtum[127] sein Blut als Selbstopfer darbringt, damit Fürbitte leistet und so die Reinigung von Schuld und die Wende zum Heil bewirkt. Ohne Zweifel haben hier der alttestamentliche Opferkult mit den Institutionen des Hohenpriesterdienstes und des Großen Versöhnungstages von Lev 16 sowie Ps 110[128] typologisch eingewirkt. Jedoch fehlt bei all diesen Typoi die Identität von Darbringendem und Dargebrachten, an der dem Hebräerbrief beim Antityp Christus soviel liegt (Hebr 7,27; 9,14.28; 10,10). Das Motiv der Selbstdarbringung gehört in der Christologie des Hebräerbriefs traditionsgeschichtlich mit anderen Motiven zusammen, die ihre Entsprechung in der Märtyrerüberlieferung haben: die Unschuld des Zeugen Jesus (Hebr 7,26), seine Treue zum Schöpfer (Hebr 3,2), die Bewirkung der Heilswende durch seinen Tod (Hebr 2,10; 9,12.14f.26.28; 10,12), die Reinigung des Volkes von Schuld durch den Tod des Gerechten (Hebr 1,3; 2,9; 10,12). Die einmalige Identität von Priester und Opfer weist uns überlieferungsgeschichtlich in die Märtyrertheologie. Wir begegnen ihr auch in den späteren altkirchlichen Märtyrerberichten[129]. In gleicher Weise ist der Tod des ermordeten Gerechten nach Weish 3,1-6 Opfer und leistet der Hohepriester und Märtyrer Onias nach 2 Makk 15,12 Fürbitte für sein Volk. Bereits in 2 Makk 7 begegnete diese Opfervorstellung. Wir haben allen Grund zur Annahme, daß der Hebräerbrief in seiner komplexen Christologie einer Himmelfahrt Jesu vom Kreuz aus auch den Gedanken der postmortalen himmlischen Erhöhung der Märtyrer angewendet hat.

6.3.5 Die Erhöhung der Märtyrer in der Johannesoffenbarung

In der Johannesoffenbarung aus der Zeit Domitians (81-96 n.Chr.) oder späteren Tagen am Vorabend der Begegnung des kleinasiatischen Christentums mit dem Kaiserkult bilden das Martyrium und

---

[127] Dazu vgl. grundlegend *G. Bertram*, Die Himmelfahrt Jesu vom Kreuz aus und der Glaube an seine Auferstehung, in: Fschr. *A. Deißmann*, Tübingen 1927, 187-217; *J. Jeremias*, Zwischen Karfreitag und Ostern: ZNW 42 (1949) 194-201, = in: Abba, Göttingen 1966, 323-331.

[128] Hebr 1,3; 2,9; 8,1.

[129] Dazu s. o. Anm. 67.

sein Lohn den Bezugspunkt der Paränese. Die Offenbarung versteht sich als „das Buch eines Märtyrers für Märtyrer und durch sie für alle Gläubigen, die es noch nicht sind" (*E. Lohmeyer*)[130]. An den Höhepunkten apokalyptischer Zukunftsentwürfe stehen oft Szenen himmlischer Anbetung Gottes durch die Märtyrer[131]. Ihre Vollendung gilt in dieser christlichen Apokalypse als Unterpfand und Vorabbildung des Endheils für die im Leiden ausharrende Gemeinde. Der Apokalyptiker sieht an den Märtyrern im Himmel vorwegereignet und bereits gegenwärtig, was auf die Gemeinde an Verfolgung, Tod und Heil noch zukommt. Deshalb kann er der Gemeinde von Smyrna, die nach vorangehender jüdischer Verleumdung mit staatlichen Eingriffen, Einkerkerung und Todesmartyrium rechnen muß, die Verheißung des bereits auferstandenen und am himmlischen Leben teilhabenden Märtyrers Christus zusprechen:

„Dies spricht der Erste und Letzte,
der tot war und lebendig wurde.
(9) Ich kenne deine Bedrängnis und Armut,
aber du bist reich.
Und die Lästerung derer, die sich Juden nennen
und es nicht sind, sondern eine Satanssynagoge.
(10) Fürchte dich nicht, was du leiden wirst!
Siehe, der Teufel wird welche von euch ins Gefängnis werfen,
daß ihr versucht werdet und zehn Tage Bedrängnis habt.
Werde treu bis zum Tod,
dann werde ich dir die Lebenskrone geben.
(11) Wer Ohren hat, der höre,
was der Geist den Gemeinden sagt:
Der Sieger wird nicht mehr getroffen
vom zweiten Tod" (Offb 2,8-11).

Man wird bei der Aussicht auf den Lohn des Martyriums an das in der Märtyrerüberlieferung beliebte Bild des Wettkampfs erinnert[132]. Der auferstandene Christus gibt dem Märtyrer, der sich im Kampf bewährt hat, Anteil an seinem himmlischen Leben.

---

130 *E. Lohmeyer*, Die Offenbarung des Johannes (HNT XVI) Tübingen ²1953, 202; vgl. auch so *J. Behm*, Die Offenbarung des Johannes (NTD XI) Göttingen ⁷1956, 19.101: Trostbuch für eine Märtyrerkirche.
131 Vgl. Offb 6,9-11; 7,9-13; 15,1-4.
132 Dazu s. o. Anm. 68.122.

Besonders deutlich setzt die Vision von den Seelen am Fuße des himmlischen Brandopferaltars vor dem Thron Gottes *Offb 6,9-11* die himmlische Auferstehung des Märtyrers voraus bzw. in Szene[133]. Möglicherweise handelt es sich hierbei um die alttestamentlichen Blutzeugen, wenn V.11 auf eine zweite Phase in der Geschichte des Martyriums blickt und diese erst die Gegenwart der Urkirche betrifft.

(9) „. . . und ich sah unter dem Altar die Seelen der Erschlagenen
wegen des Gotteswortes und des Zeugnisses, das sie hatten.
(10) Und sie schrien mit lauter Stimme und sprachen:
‚Wielange, Herr, Du Heiliger und Wahrhaftiger,
richtest und rächst du nicht unser Blut
an den Bewohnern der Erde?'
(11) Und einem jeden wurde ein weißes Gewand gegeben,
und ihnen wurde gesagt, sie sollten noch eine kurze Zeit ruhen,
bis voll sei die Zahl ihrer Mitknechte und Brüder,
die gleich ihnen zu Tode kommen sollten".

Nach geläufiger jüdischer Anschauung[134] ruhen die Seelen der Gerechten am Fuß des himmlischen Altars. Damit wird zum Ausdruck gebracht, daß sie nun in der Gegenwart Gottes existieren und ihr Tod ein Gott dargebrachtes Reinigungs- und Sündopfer bedeutet, wie es die Märtyrertheologie betont[135]. Die Märtyrer haben die Möglichkeit, durch ihr Schreien nach Rache das Gericht über die Welt schneller herbeizuführen[136], wie auch der Tod der sieben Brüder nach 2 Makk 7 die Heilswende einleitet. Sie erhalten schon vor dem Anbruch des Endheils den verklärten Leib der Vollendeten, wie das Motiv der Übergabe des himmlischen Kleids erkennen läßt[137].

---

[133] *Lohse,* Märtyrer 196f.

[134] Vgl. Schab 152b; Men 110a; NumR 12,15; Targum 1 Chron 21,15; Tanchuma Ber 5; dazu s. *Lohmeyer,* Offenbarung Beilage 4. Die Seele bzw. das Leben befindet sich im Blut (Lev 17,11.14). Wird im israelitischen Kult Opferblut an den Brandopferaltar gesprengt (Lev 4,7), so ist die Seele bzw. das Leben am Altar ausgegossen. Die Vorstellung aus dem Opferkult ist im Sinne der griechischen Individualseele gedeutet und auf den himmlischen Bereich übertragen.

[135] Dazu s. o. Anm. 67.

[136] Vgl. Sir 36,10; aethHen 47,1; 97,3.5; 99,3; Lk 18,7.

[137] Vgl. zum Motiv aethHen 62,16; slavHen 22,8; AscIs 9,15; Hermsim VII 2,3; ApkPetr 13; ferner *W. Bousset,* Die Offenbarung Johannis (KEK XVI) Göttingen [6]1906, 271; *Lohmeyer,* Offenbarung 34.

In der Vision der weißgekleideten Schar am Thron Gottes *Offb 7,9-17,* die den Akt Offb 6,9-11 voraussetzt, will der Apokalyptiker vor Beginn der großen Verfolgung der Gemeinde im Bild des himmlischen Gottesdienstes und der Seligkeit und Gottesnähe der Märtyrer den Sinn des Leidens, seine Notwendigkeit und seine Würdigung durch Gott enthüllen[138]. Die Märtyrer sind „aus dem großen Leiden gekommen" (V. 14). Sie stehen nun in ihrer neuen himmlischen leiblichen Existenz, auf die wiederum die Metapher des weißen Gewands (V. 9.13) hinweist, lobend und dienend am Thron Gottes.

In diesem Zusammenhang muß auch die Vision des tausendjährigen Reichs in *Offb 20,1-10* genannt werden. Dieser im Neuen Testament einmalige und schwierige Text gehört nach der Aussage von V. 4 in den Zusammenhang der Märtyrertheologie:

„(4) Und ich sah Throne,
und sie setzten sich darauf,
und das Gericht wurde ihnen gegeben.
Und die Seelen der Erschlagenen
um des Zeugnisses Jesu willen
und um des Wortes Gottes willen,
die das Tier nicht angebetet hatten,
noch sein Bild,
und nicht das Mal an ihre Stirn genommen hatten
und auf ihre Hand.
Und sie lebten und herrschten mit Christus tausend Jahre.
(5) Die übrigen Toten lebten nicht auf,
bis die tausend Jahre vollendet sind.
Dies ist die erste Auferstehung.
(6) Selig und heilig, wer an der ersten Auferstehung teilhat.
Und über diese hat der zweite Tod keine Gewalt,
sondern sie werden Priester Gottes und Christi sein
und werden mit ihm herrschen tausend Jahre" (Offb 20,4-6)[139].

---

[138] Behm, aaO. 47: „So steht vor der angehenden Märtyrerkirche auf Erden das so verklärte endliche Bild ihrer selbst, als seliger Trost und letzte Sinndeutung der Todesnot, die sie erwartet".

[139] Die Übersetzung der Apokalypsentexte erfolgt in Anlehnung an *H. Kraft,* Die Offenbarung des Johannes (HNT XVI a) Tübingen 1974, z. St.

Der Text erwartet eine besondere zukünftige[140] Auferstehung der christlichen Märtyrer vor der allgemeinen Auferweckung zum Gericht. Sie gilt vor allem denen, die Opfer der endzeitlichen Verfolgung durch das Tier werden. Nur der teilweise parallele, spätere jüdische Text 4 Esd 7,28f konnte die christlichen Exegeten dazu verleiten, in Offb 20 an ein irdisches Zwischenreich des Messias mit den Märtyrern zu denken. Im Unterschied zu 4 Esd weiß Offb 20 nichts von einem Sterben des Christus und seiner auferstandenen Getreuen nach dem Ablauf der befristeten Zeit[141]. Der Übergang zur allgemeinen Totenauferstehung beim Endgericht geschieht in Offb 20,7-15 bruchlos. Man muß deshalb bei der Thronszene von V. 4, die im Himmel spielt, mit einer Vorwegnahme des Endgerichts für die Märtyrer rechnen. Damit ist im Kontext aber auch ihre Auferweckung als eine vorweggenommene himmlische Auferstehung[142] verstanden. Das Herrschen mit Christus, an dem die Märtyrer teilhaben, geschieht nach dem Geschichtsbild der Apokalypse sonst vor der Wiederkunft Christi zum Gericht auf Erden im himmlischen Bereich. Hier vollzieht sich die Herrschaft des Gekreuzigten und Auferstandenen (Offb 1). Man sollte Offb 20 im Zusammenhang des apokalyptischen Geschichtsbildes der Offenbarung deuten. Der Kontext, der von einem befristeten Ende alles Bösen auf Erden weiß (V. 1f), rechnet damit, daß dort die Völker weiterexistieren (V. 3). Nur sie werden auch nach Offb 20,7-10 von den anschließenden Enddrangsalen betroffen, während die Märtyrer dem Geschehen bereits entzogen sind[143]. Auch nach Offb 6,9-11 geschieht das neue Leben und das Herrschen der Märtyrerseelen im Himmel. Damit dürfte die *erste Auferstehung* der Märtyrer in V. 5 wie in 2 Makk 7 als himmlische Auferstehung zu deuten sein[144]. Wir begegnen in V. 5 einer der wenigen Stellen, an denen die himmlische Erhöhung der Märtyrer nach ihrem Tode expressis verbis als Auferstehung bezeichnet wird. Von 2 Makk 7 unterscheidet sich diese Erwartung einmal durch das Motiv der Christusgemeinschaft, wie es bei der

---

[140] Die Zukunftsbezogenheit stellt bes. *Berger,* Auferstehung 110f.371-373, heraus.

[141] In 4 Esd 7,28f vierhundert Jahre.

[142] *Hengel,* Zeloten 276, deutet auf endzeitliche irdische Auferstehung.

[143] Vgl. als nahe Parallele AssMos 9,8-10.

[144] So auch *v. Campenhausen,* Idee 125 Anm. 8; *Behm,* aaO. 102.

urchristlichen Rezeption der jüdischen Vorstellung allenthalben geschieht. Zum anderen begegnen wir hier einer zeitlichen Verschiebung der himmlischen Auferstehung in eine zukünftige Vorzeit vor
dem Anbruch des Endgerichts, wobei offenbleiben muß, wie die
Spanne von tausend Jahren zu deuten ist. Diese Zeitverschiebung
muß auch für Offb 6,9-11 vorausgesetzt werden, da hier zwar eine indi-
viduelle postmortale Erhöhung der Einzelseele voraufgeht, die Signa
der neuen leiblichen Existenz im Himmel aber den alttestamentlichen
Märtyrern zu einem späteren Zeitpunkt verliehen werden.

6.3.6 Die Christusgemeinschaft des Märtyrers Paulus nach dem Zeugnis des 2. Timotheusbriefs

Der Gedanke der Gemeinschaft des Märtyrers mit dem leidenden,
sterbenden und auferstehenden Christus wird besonders im 2. Timo-
theusbrief betont, wie vor allem der Kommentar von *J. Jeremias*[145]
herausstellt. Besonders in den Teilen 2 Tim 1,8.12.16; 2,3.9; 2,11-13;
4,5-8 begegnet uns die bekannte Topik der Märtyrertheologie. Das
Martyrium gilt als Kampf (2 Tim 2,3). Der Opfertod des Märtyrers (2
Tim 4,6) leitet die Heilswende für andere ein (2 Tim 2,10). Der Märtyrer Paulus erhält den Siegeskranz (2 Tim 4,8). Der unbekannte Verfasser dieses späten neutestamentlichen Schreibens[146] läßt den Apostel
auf eine den Angaben des Philipperbriefs vergleichbare Prozeßsi-
tuation zurückblicken[147], bei der die Möglichkeit eines tödlichen Ausgangs bestand. Der Apostel ist aber aus dieser Gefahr errettet worden
(2 Tim 4,16f). Bei einer Wiederholung seines Geschicks rechnet er jedoch mit dem Tod, der nach dem wichtigen Text *2 Tim 4,18* „Rettung
in das himmlische Reich" bedeutet. „Es ist die gegenwärtige Königs-
herrlichkeit Christi im Himmel, zu der das Martyrium ihm die Tür auf-

---

[145] *J. Jeremias*, Die Briefe an Timotheus und Titus (NTD IX) Göttingen
    [11]1975.

[146] Zur Echtheitsfrage vgl. die Einleitungen und Kommentare. *Jeremias* hält
    den Brief unter Heranziehung der Sekretärshypothese für ein echtes
    paulinisches Schreiben.

[147] Vgl. 2 Tim 1,8.12.16; 2,9; 4,16.

schließen wird" (*J. Jeremias*)[148]. Wir begegnen daneben in diesem Brief einer klaren futurischen Eschatologie[149], in der der Zeuge seine Rehabilitierung und Belohnung für den zukünftigen Tag Christi erwartet[150]: „Nun liegt für mich als Preis der Kranz der Gerechtigkeit bereit, den mir der Herr, der Gerechte Richter, am jüngsten Tage aufs Haupt setzen wird – nicht nur mir allein, sondern auch allen denen, die mit Liebe seine Erscheinung ersehnt haben" (2 Tim 4,8). Trotz dieses Ausblicks auf die irdische Parusie denkt die Märtyrererwartung von 2 Tim 4,18 in räumlichen Vorstellungen, ohne daß der Widerspruch im Brief ausgeglichen erscheint. So bleibt auch offen, wie der Verfasser einen älteren Lobpreis des Martyriums, den er in *2 Tim 2,11-13* mit der für ihn typischen Einleitung[151] zitiert, verstehen will:

„(11) Zuverlässig ist das Wort:
,Sind wir nämlich mit (ihm) gestorben,
so werden wir auch mit (ihm) leben;
(12) dulden wir willig,
so werden wir auch mit (ihm) herrschen.
Verleugnen wir,
so wird er auch uns verleugnen.
(13) Werden wir untreu,
so bleibt er treu. Denn er kann sich selbst nicht verleugnen.'"

J. Jeremias macht darauf aufmerksam, daß hier ein älteres Lied vorliegt[152], das möglicherweise von Paulus selbst abzuleiten sei, da die Stilform dieses Lieds ungriechisch ist und der Anschluß an Röm 6,8 auffällt, während die beiden letzten Doppelzweier auf Mt 10,33 zurückweisen. In V. 11f beherrscht das *mit (Christus)* die Aussagen. Das Martyrium für Christus – „und das ist das tiefste was Paulus über das Leiden zu sagen hat, ist ein Sterben ,mit *(syn)* Christus'; wie die Taufe

---

[148] *Jeremias,* aaO. 66.

[149] *Jeremias,* ebd, versucht den Ausgleich zwischen transzendenter Heilserwartung und futurischer Eschatologie, indem er vom Himmel als der „Vorhalle zur Königsherrschaft des wiederkehrenden Heilandes und der verklärten Erde" spricht.

[150] 2 Tim 1,12.18; 4,1.8.

[151] Vgl. 1 Tim 1,15; 3,1; 4,9; Tit 3,8.

[152] *Jeremias,* aaO. 55.

vereinigt es den Märtyrer mit seinem Herrn" (*J. Jeremias*)[153]. Infolge der Parallelisierung von Sterben und Auferstehen Christi liegt die Interpretation einer postmortalen himmlischen Christusgemeinschaft im Sinn von Phil 1,23 und 2 Tim 4,18 nahe. Das Futur der Sätze ist ein Futur in der Logik des Zeitablaufs. „Es muß gestorben sein, bevor das wahre Leben kommen wird" (*G. Holtz*)[154]. Ohne Zweifel liegt in 2 Tim wie in Offb ein Bindeglied zur altkirchlichen Märtyrertheologie vor.

6.3.7 Zusammenfassung

Wenn wir die neutestamentlichen Texte, die in irgendeiner Weise implizit oder explizit die postmortale himmlische Erhöhung des christlichen Märtyrers erwarten, überschauen, so bleibt festzustellen, *daß die Texte dem hellenistischen Judenchristentum und seinem Milieu entstammen.* Den Gedanken der Rehabilitierung als Begründung für die Notwendigkeit einer besonderen Märtyrerauferstehung sucht man im Neuen Testament vergeblich. Er deutet sich höchstens verhalten in Offb 6,9-11 und 20,4-6 an. Nach der grundlegenden Entdeckung in 2 Makk 7 scheint er inzwischen in der jüdischen und der sich aus ihr ableitenden urchristlichen Glaubensgeschichte selbstverständlich geworden zu sein. Es fällt auf, wie wenig die Texte im Unterschied zur jüdischen Traditionsgeschichte die hellenistische Uminterpretation auf die unsterbliche Seele, wie sie vor allem in Weish 3,1-6, im 4. Makkabäerbuch und bei den Rabbinen geschieht, nachvollziehen. Nur in Offb 6,9-11 und 20,4-6 könnte man davon sprechen. Aber beide Texte tendieren ausgesprochenermaßen auf eine neue himmlische Auferstehungsleiblichkeit hin, wodurch in der Rezeption griechischer Vorstellungen das jüdische Erbe, nach dem Leben und Schöpfung nicht ohne Leib möglich ist, bewahrt wird. Alle anderen Texte rechnen mit einer himmlischen Auferstehungsleiblichkeit, ohne das Woher und Wie der neuen Existenz zu erklären. Dieser Zug weist uns auf ein entscheidendes Theologumenon hin, das bereits bei Paulus gegeben ist und sich durch alle Texte hindurchzieht. An die Stelle der Neuschöp-

---

[153] Ebd.
[154] *G. Holtz,* Die Pastoralbriefe (ThHNT XIII) Berlin 1965, 167.

fung als Motiv und als Vorbedingung der himmlischen Auferstehung tritt die Gemeinschaft des Märtyrers mit dem gestorbenen und auferstandenen Christus. Dessen Weg wiederholt sich in dem seiner Zeugen. Der Auferstehungsbegriff für die postmortale himmlische Erhöhung der Märtyrer begegnet nicht oft; die Sache ist aber überall vorausgesetzt. Nur in den beiden bereits genannten Offenbarungstexten ergibt sich die Vorstellung einer zeitlichen Verschiebung der besonderen Märtyrerauferstehung in die Endzeit. Dabei wird dieses Geschehen von der allgemeinen endzeitlichen Totenauferstehung deutlich geschieden.

6.4 AUSBLICK: DAS AUFERSTEHUNSMOTIV IN DER FRÜHEN MÄRTYRERTHEOLOGIE DER ALTEN KIRCHE

Bei dem Märtyrerbischof *Ignatius von Antiochien* wird zum erstenmal eine christliche Theologie des Martyriums entwickelt. In den sieben Sendschreiben aus der Zeit zwischen 110-117 n.Chr. läßt der zum Tierkampf in Rom verurteilte Bischof seine persönliche Einstellung zum Martyrium erkennen. Er geht um Gottes willen freudig in den Tod[155]. Das Martyrium bringt ihn durch das Sterben hindurch zum Ziel (Röm I 1); sein Tod bedeutet „Kommen zum Vater" (Röm VII 2). Der Ausdruck, mit dem Ignatius am häufigsten sein himmlisches Ziel beschreibt, heißt *zu Gott gelangen, „Gottes teilhaftig werden"* (θεοῦ ἐπιτυχεῖν): Eph XII 1; Magn I 1; XIV; Trall XII 2; XIII 3; Röm I 2; II 1; IV 1; IX 2; Smyrn XI 1.3; Pol II 3; VII 1[156]. In Röm V 3 bezieht Ignatius es auf die Christusgemeinschaft (Ἰησοῦ Χριστοῦ ἐπιτυχεῖν). An Polykarp von Smyrna schreibt er:

„Die Zeit verlangt nach dir, um zu Gott zu gelangen – wie Steuerleute nach Winden und wie ein vom Sturm Bedrängter nach einem Hafen. Sei nüchtern als ein Kämpfer Gottes! Der Preis ist Unvergänglichkeit und ewiges Leben[157], von dem du auch überzeugt bist" (Pol II 3)[158].

---

[155] IgnRöm IV 1.

[156] Vgl. dazu *Brox*, Zeuge 209-211; auch *v. Campenhausen*, 69 Anm. 7.

[157] Vgl. 4M 17,12.

[158] *Brox*, Zeuge 210, bestreitet den martyrologischen Sinn dieser Stelle.

In Röm IV 3 verwendet Ignatius für die Hoffnung des Märtyrers auf seine unmittelbare Erhöhung zu Christus auch den Auferstehungsbegriff:

„Aber wenn ich gelitten habe, werde ich ein Freigelassener Jesu Christi werden und als Freier in ihm *auferstehen* (ἀναστήσομαι ἐν αὐτῷ)".

Der rund ein Jahrzehnt ältere *1. Clemensbrief* bietet das älteste literarische Zeugnis über den Märtyrertod der Apostel Petrus und Paulus in der neronischen Verfolgung. Auch er weiß von einer postmortalen himmlischen Erhöhung beider Märtyrer in V. 4-7:

„Petrus, der wegen unberechtigter Eifersucht nicht eine oder zwei, sondern vielerlei Mühseligkeiten erduldete und so, nachdem er Zeugnis abgelegt hatte, an den gebührenden Ort der Herrlichkeit gelangte. Wegen Eifersucht und Streit zeigte Paulus den Kampfpreis der Geduld; siebenmal in Ketten, vertrieben, gesteinigt, Herold im Osten wie im Westen, empfing er den echten Ruhm für seinen Glauben; er lehrte die ganze Welt Gerechtigkeit, kam bis an die Grenze des Westens und legte vor den Machthabern Zeugnis ab; so schied er aus der Welt und gelangte an den heiligen Ort, das größte Beispiel der Geduld"[159].

In dem bei Euseb erhaltenen Bericht über den Tod des Märtyrerbischofs *Polykarp von Smyrna* (gest. ca. 167/8 n.Chr.)[160] äußerst das Sterbegebet des Märtyrers die Hoffnung auf die himmlische Erhöhung unter Aufnahme des Auferstehungsbegriffs:

„Ich preise dich, daß du mich dieses Tages und dieser Stunde gewürdigt hast, so daß ich unter der Schar der Märtyrer teilnehme an dem Kelch deines Christus *zur Auferstehung in das ewige Leben* nach Leib und Seele in der Unvergänglichkeit des heiligen Geistes" (MartPol XIV 2).

Deutlich begegnet uns hier die bei Paulus beginnende Märtyrertheologie von der Leidens- und Auferstehungsgemeinschaft des Märtyrers mit Christus.

---

[159] Übers. *J. H. Fischer,* Die Apostolischen Väter (Schriften des Urchristentums I) Darmstadt 1956, 31.33.
[160] Euseb HE IV 14; das zitierte Gebet findet sich IV 14,33f.

Der Auferstehungsbegriff erscheint in der altkirchlichen Märtyrerliteratur zur Bezeichnung der himmlischen Erhöhung der Märtyrer nicht häufig[161]. Erwähnt wurden bereits die Texte IgnRöm IV 3 und MartPol XIV 2. Der Märtyrer Pionius drängt zum Tode, „damit ich um so schneller auferweckt werde, die Auferstehung der Toten erfahre" (MartPion XXI 4). In den Paulusakten (IV 266) erklärt der Apostel dem Kaiser: „Ich werde auferstehen und dir erscheinen (als Beweis dafür), daß ich nicht gestorben bin, sondern meinem Herrn Jesus Christus lebe". In MartMatth XXIV wird gesehen, wie der Märtyrer aufersteht und in den Himmel eingeht. Der Hinweis auf die postmortale himmlische Existenz des Märtyrers im ewigen Leben vor Gott findet sich jedoch sehr oft in verschiedensten Wendungen und Bildern[162]. Der Märtyrer steigt nach seinem Tod sofort in den Himmel auf (MartJust V 1-3; PassPetr et Paul LXII; Justin 2Apol II 19; SyrDidask XX). „Heute sind wir Märtyrer im Himmel" erklären die Scilitaner (PassScil XV). Sie gehen in das himmlische Paradies ein (PassPerp XI 2-4; ActFruct III 2)[163]. Sie nehmen nach ihrem Tod am himmlischen Mahl teil (MartMarian XI 6; ActCarp LXII; Dionysius Alex bei Euseb HE VII 22,4). Sie eilen zu Christus (MartLugd I 6), gehen heim zu Gott (MartLugd II 7), kommen zur Vollendung (Euseb HE VII 15,5), empfangen den Kranz der Unsterblichkeit (MartLugd I 38), genießen das ewige Leben mit allen Heiligen (MartDas IV 4), thronen neben Christus oder Gott (Hermsim IX 28,3-6; vis III 1,9-2) und haben an seiner himmlischen Herrschaft teil (Dionysius Alexander bei Euseb HE VI 42,5). Ihr Sterbetag wird deshalb von der Gemeinde als Geburtstag ihrer himmlischen Existenz gefeiert (MartPol XVIII 2).

---

[161] Dazu s. o. 5.1 zu 2 Makk 7,7-9.

[161] Vgl. dazu die Überblicke bei *v. Campenhausen,* Idee 125-127 Anm. 8; *Lohse,* Märtyrer 205; *Brox,* Zeuge 209f; *Berger,* Auferstehung 375-382 Anm. 493-499; *Pollard,* BJRL 55,240f. Auf den Befund der frühchristlichen Grabeskunst weist hin *A. Stuiber,* Refrigerium interim. Die Vorstellungen vom Zwischenzustand und die frühchristliche Grabeskunst (Theophaneia XI) Bonn 1957, 76: „Wir finden allenthalben in der alten Kirche den Glauben verbreitet, daß die Märtyrer unmittelbar nach ihrem Tode zu Gott in die himmlische Herrlichkeit gelangen".

[163] Weitere Belege bei *K. Holl,* Gesammelte Aufsätze II, Tübingen 1928, 86 Anm. 4.

Cyprian (ca. 200/210-258 n.Chr.) bezeugt an vielen Stellen noch das Wissen von einer besonderen himmlischen Belohnung der Märtyrer[164]. Der Blutzeuge „braucht die gebrochenen Augen gleichsam nur wieder aufzuschlagen und findet sich im Himmel" (*H. v. Campenpausen*)[165].

Später verfällt das Thema der besonderen Märtyrerauferstehung, von dem wir nicht wissen, wieweit es in der älteren Kirche auf allgemeine Überzeugung zurückgeht[166], der Einschmelzung in eine allgemeine christliche Jenseitshoffnung. Für diesen Nivellierungsprozeß wird es viele Gründe geben. Die Massenmartyrien im römischen Reich sind zeitlich und lokal begrenzt, auch finden sie schließlich ihr Ende; es stellen sich andere Probleme ein. Die unmittelbare Enderwartung der Christen tritt immer stärker zurück und fördert auch für die Allgemeinheit die Frage nach dem postmortalen Heil, das nicht mehr so recht als vorläufiger Zwischenzustand begriffen werden kann. Die jüdische Vorstellung von der Aufnahme des Gerechten in den Himmel wird hier sich genau so befruchtend ausgewirkt haben wie die hellenistische Popularvorstellung von der Heimkehr der unsterblichen Seele zu Gott. Was soll bei einer derartigen Umformung christlicher Eschatologie noch das exklusive Geschick der Märtyrer?

Ein Protest gegen solche Entwicklung deutet sich bei *Tertullian* (geb. um 160 n.Chr.) an. Wahrscheinlich unter montanistischem Einfluß[167] weiß er vom besonderen Vorrecht der Märtyrer, sofort in das himmlische Paradies einzutreten, statt in der Unterwelt den jüngsten Tag erwarten zu müssen (De resurr XLIII):

„Denn niemand, der fern vom Körper weilt, befindet sich dann schon sofort bei dem Herrn, außer wenn er nämlich zur Belohnung des Martyriums im Paradies und nicht in der Unterwelt sich aufhalten wird" (De resurr XVII).

Das Märtyrerblut ist der Schlüssel zum Paradies (De anima LV). Die volle Seligkeit erlangen die Märtyrer jedoch auch erst bei der endzeitlichen Totenauferstehung (De resurr XVII; Scorp XII). Dieser Vorbe-

---

164 Ad Fort praef IV; Ad Fort XIII; ep X 4; XXXI 2f; LV 20; LVIII 10; vgl. *v. Campenhausen*, Idee 126 Anm. 8.
165 Ebd.
166 *V. Campenhausen*, ebd.
167 Vgl. *v. Campenhausen*, Idee 125.127 Anm. 8.

halt in der Vorläufigkeit der Märtyrerseligkeit zeigt bei Tertullian die Angleichung an eine strenge futurische Eschatologie der Auferstehung aller Christen. So muß der Apologet im Protest gegen eine allgemeine Jenseitsvorstellung die Exklusivität des Märtyrerschicksals nivellieren. Tertullian kann die Entwicklung nicht aufhalten.

6.5 DIE HIMMLISCHE MÄRTYRERAUFERSTEHUNG – EIN RELIGIONSGESCHICHTLICHES ARGUMENT IN DER FRAGE NACH DEM HISTORISCHEN JESUS?

Im Doppelwerk des Lukas und im Hebräerbrief zieht urchristliche Verkündigung zur Interpretation des Weges Jesu zwischen Karfreitag und Ostern neben anderen Deutungen auch das Motiv der postmortalen himmlischen Erhöhung und Auferstehung des Märtyrers heran. Es muß sich um eine sehr alte Deutung handeln, die sehr bald durch die unterschiedlichsten christologischen Konzeptionen, vor allem durch die Deutung von Tod und Auferstehung als Geschehen am Menschensohn, verdrängt und ersetzt worden ist[168], zumal sie sich kaum von der allgemeineren jüdischen Vorstellung des leidenden Gerechten und seiner himmlischen Erhöhung unterscheidet[169]. Wir vermuten einen Unterschied darin, daß die Märtyrertradition in Übereinstimmung mit 2 Makk 7 von *Auferstehung* spricht, während die Erwartung für den leidenden Gerechten keine typische Vokabel für die Erhöhung nennt. Die angezeigte Sicht des Weges Jesu vom Märtyrertod zur himmlischen Auferstehung entspricht, wie diese Studie zur Nachgeschichte von 2 Makk 7 zeigen sollte, einer Vorstellung, die im Judentum zur Zeit Jesu durchaus geläufig war. Dabei darf man diese Erwartung wohl kaum auf das hellenistische Judentum beschränken, auch wenn die meisten urchristlichen Belege in den hellenistisch geprägten Bereich gehören. Das 2. Makkabäerbuch und die genannten jüdischen Texte vor Josephus stammen aus dem Palästinajudentum. Zum anderen läßt sich eine vom Hellenismus unbeeinflußte Frömmigkeitsrichtung im Judentum zur Zeit Jesu kaum nennen, wie vor allem *M. Hengel* in seinen Publikationen immer wieder betont.

---

[168] Vgl. dazu R. *Pesch,* Die Passion des Menschensohnes, in: Jesus und der Menschensohn, Fschr A. *Vögtle,* Freiburg – Basel – Wien 1975, 166-195.
[169] Vgl. dazu die Arbeiten von L. *Ruppert* (Lit. Verz.).

Die Frage liegt auf der Hand, *ob der historische Jesus* selbst sozusagen als Inaugurator der Märtyrerchristologie *seine Auferstehung erwartet* und eventuell angekündigt hat. Wir kämen dieser Frage und ihrer Beantwortung näher, wenn erwiesen wäre, daß Jesus seinen Tod, der aufgrund seiner provozierenden Verhaltensweise gegenüber dem Synhedrium und seiner kritischen Haltung zum Gesetz und Tempelkult unausweichlich wurde[170], als Martyrium gedeutet und durch den Zug nach Jerusalem bewußt gesucht hat. Der kundige Bibelleser wird an dieser Stelle auf die sog. Leidens- und Auferstehungsankündigungen der drei ersten Evangelien hinweisen[171].

Der historisch-kritische Exeget, der die Ergebnisse der formgeschichtlichen Erforschung der Evangelien nicht ignorieren kann, darf hier nicht mit der Beantwortung der Frage beginnen, die ihn sowieso nur zu einem „Baukastenspiel" von in sich schlüssigen Verbindungen führen kann. Der hypothetische Charakter der folgenden Erwägungen sei unüberhörbar betont.

Die formgeschichtliche Auslegung der Jesusworte hat gezeigt, daß solche Logien in der Regel auf den nachösterlichen Glauben und die Verkündigung der Urgemeinde zurückgehen, wie wir überhaupt in der Frage nach Worten des historischen Jesus letztlich im Dunkeln tappen. Wer bei dem augenblicklichen Forschungsstand ein Wort Jesu als historisch wahrscheinlich sichern will, muß nach dem von *E. Käsemann* bündig formulierten kritischen Ausscheidungsprinzip oder Unähnlichkeitskriterium[172] nachweisen, daß es weder aus dem zeitgenössischen Judentum noch aus dem aramäisch sprechenden Urchristentum abzuleiten ist. Bei diesem Ansatz bleibt so gut wie nichts, das man als Ausgangspunkt unserer Erwägungen heranziehen könnte[173]. Nicht nur die Leidens- und Auferstehungsweissagungen, auch das Lösegeldwort Mk 10,45 par Mt 20,28 und die Abendmahlsworte fallen für eine Nachfrage, wie „Jesus seinen Tod verstanden und bestanden" hat[174], aus. Man muß zunächst in eine methodenkritische Diskussion einsteigen, die es sich nicht verboten sein läßt, Jesus neben dem Widerspruch auch in Identität mit der alttesta-

---

[170] Vgl. dazu z. B. *Jeremias,* Theologie 265f; *H. Schürmann,* Wie hat Jesus seinen Tod bestanden und verstanden? in: Orientierung an Jesus, Fschr J. Schmid, Freiburg – Basel – Wien 1973, (325-363) 332-337; *J. Gnilka,* Wie urteilte Jesus über seinen Tod? in: Der Tod Jesu (QD 74) Freiburg – Basel – Wien 1976 (13-50) 24.

[171] Mk 8,31 (Mt 16,21; Lk 9,22); 9,31 (Mt 17,22; Lk 9,44); 10,33f (Mt 20,18f; Lk 18,31-33); vgl. auch Lk 17, 25; 24,7.

[172] *E. Käsemann,* Das Problem des historischen Jesus, in: Exegetische Versuche und Besinnungen I, Göttingen 1960 (187-214) 205f.

[173] So auch *Schürmann,* aaO. 330.

[174] Vgl. Anm. 170.

mentlich-jüdischen[175] und sogar der hellenistisch-jüdischen Frömmigkeit zu sehen.

Diese Aufgabe kann in unserer Studie nicht geleistet werden. Wir meinen aber, daß H. Schürmann in seiner methodenkritischen Besinnung „Wie hat Jesus seinen Tod bestanden und verstanden" einen Weg aus dem Trümmerfeld der formgeschichtlichen Forschung mit der Anwendung des sogenannten Konvergenz-Beweises gezeigt hat[176]. Er erlaubt uns, nicht bei der historischen Verlegenheit der formgeschichtlichen Betrachtungsweise stehenzubleiben, wie sie klassisch R. Bultmann formuliert hat, daß wir nicht wissen können, wie Jesus sein Ende, seinen Tod, verstanden hat: „Die Möglichkeit, daß er zusammengebrochen ist, darf man sich nicht verschleiern"[177].

Der notwendige historische Minimalansatz besteht nach den Ergebnissen H. Schürmanns darin, daß Jesus seinen Weg analog zu dem Schicksal der alttestamentlichen Propheten sehen und mit seinem Märtyrertod rechnen konnte. „Jesus hatte ein inneres Verhältnis zur Möglichkeit des Märtyrertodes" (H. Schürmann)[178]. Die Logien, die den Weg Jesu in diesem Lichte sehen, gehören mit zu den ältesten Evangelienüberlieferungen, wenn sie auch teilweise auf spätere Redaktionen zurückgehen[179]. Es bleiben Texte wie Mt 13,57 (Mk 6,4; Lk 4,24; Joh 4,44); Mt 23,29-31 (Lk 11,47f); Mt 23,34-36 (Lk 11,49-51); Mt 23,37-39 (Lk 13,34f); Lk 6,22f (Mt 5,11f)[180]; Lk 13,31-33[181], die in ihrer Fülle darauf schließen lassen. Es ist darauf hinzuweisen, daß nach verschiedenen Textüberlieferungen Jesus die Jünger mit der Möglich-

---

[175] So mit Recht Gnilka, aaO. 21.

[176] Zum Konvergenzbeweis s. Schürmann, aaO. 331f.

[177] R. Bultmann, Das Verhältnis der urchristlichen Christusbotschaft zum historischen Jesus (SHAW.PH 3/1960) Heidelberg 1962, 12.

[178] AaO. 341.

[179] Zur Diskussion der Texte vgl. die Anm. 168.170 genannten Aufsätze, ferner: A. Vögtle, Todesankündigungen und Todesverständnis Jesu, in: Der Tod Jesu (QD 74) Freiburg – Basel – Wien 1976, 51-136; P. Hoffmann, Mk 8,31. Zur Herkunft und markinischen Rezeption einer alten Überlieferung: in: Orientierung an Jesus, Fschr. J. Schmid, Freiburg – Basel – Wien 1973, 170-204.

[180] Das Selbstverständnis des Todes Jesu als Märtyrertod nach dem Schicksal der alttestamentlichen Propheten nehmen z. B. auch an: Jeremias, Theologie 266f mit Anm. 14; L. Goppelt, Theologie des Neuen Testaments I, Göttingen 1975, 239f; Schürmann, aaO. 325-363; Pesch, aaO. 190.194.

[181] Lk 13,33 ist als lukanisches Sondergut ganz sicher erst Beitrag des Evangelisten; vgl. die Hinweise bei Gnilka, aaO. 26: Vögtle, aaO. 60f Anm. 10.

keit von Verfolgungen und der Leidensnachfolge bekannt gemacht hat[182]. Dabei darf man nicht ausschließen, daß die Einsicht in die Notwendigkeit des Martyriums, seiner Heilsfolge und die Mitteilung solcher Gedanken an die Jünger erst in den letzten Jerusalemer Tagen völlig durchbrach, da sonst der missionarische Drang zur Reichsgottesverkündigung in der Aussage des Heils wie im Ruf zur Buße bis hin zur Aktion der Tempelreinigung als prophetischer Zeichenhandlung im Vorgriff auf das kommende Heil auch für die Heiden bei Jesus nicht erklärbar wäre[183]. Es wird in diesem Zusammenhang auf die Abendmahlsworte Jesu als Interpretation seines Weges hingewiesen[184]. Wer sich auf diesen Minimalansatz einläßt, *daß Jesus von Nazareth seinen eigenen Weg am Ende im Rahmen der Märtyrertheologie gesehen hat,* müßte zu *zwei Folgerungen* bereit sein:

Erstens: Die Deutung des Todes Jesu als ein „Sterben für andere" im Sinn des stellvertretenden Opfers, das für andere Heil einleitet, muß nicht erst auf urgemeindliche Deutung des Kreuzes zurückgehen. Seit 2 Makk 7 bedeutet Märtyrertod immer Sterben für das Heil anderer[185], auch wenn der Einfluß von Jes 53 auf das Denken Jesu nicht nachgewiesen werden könnte. Im Rahmen der Märtyrertheologie konnte Jesus sein voraussehbares Todesgeschick seiner Sendung positiv als Heilsvermittlung integrieren.

Zweitens: Stimmt diese Voraussetzung, so *dürfte Jesus von Nazareth nach dem Vorbild der zeitgenössischen Märtyrertheologie auch seine eigene himmlische Auferstehung in Blick gehabt haben.* Neben den sogenannten Leidens- und Auferstehungsweissagungen der Synoptiker gibt es eine weitaus authentischere Logienüberlieferung, die uns diese Schlußfolgerung bestätigen könnte.

Die synoptische Überlieferung bezeugt eine Logienkombination, die das Motiv des postmortalen himmlischen Lebens als Märtyrererwar-

---

[182] Vgl. die Seligpreisung der Verfolgten Lk 6,22 (Mt 5,11f); dazu *Schürmann,* Fschr Schmid 336; ferner Lk 14,26f (Mt 10,37f); Mt 10,28 (Lk 12,5); sowie die Sprüche von Kreuzesnachfolge und Leben, dazu s. u.

[183] Vgl. dazu *Schürmann,* aaO. 352-359.

[184] Vgl. *Schürmann,* ebd; *Vögtle,* aaO. 92-97; *R. Pesch,* Das Abendmahl und Jesu Todesverständnis, in: Der Tod Jesu (QD 74) Freiburg – Basel – Wien 1976, 137-187.

[185] Dazu s. o. 1 Anm. 16.

tung bringt. Das Jesuswort „Wer sein Leben findet (rettet), wird es verlieren. Wer aber sein Leben verliert, wird es finden (retten)" hat sowohl die Markustradition (Mk 8,35; Mt 16,25; Lk 9,24) als auch die Überlieferung der Spruchquelle Q (Mt 10,39; Lk 17,33). Auch Joh 12,25 setzt es voraus. Wenn es auch rabbinische und hellenistische Parallelen gibt, die dieses Logion als eine allgemein bekannte Sentenz erweisen[186], kann man es dem historischen Jesus eindeutig weder absprechen noch zusprechen[187]. Ein solches Wort paßt situationsgerecht in die gefährliche Lage Jesu[188], die etwa Lk 13,31-33 andeutet. An vielen Stellen erscheint nun dieses Logion in Kombination mit dem Nachfolgewort „Wer mir nachfolgen will, der verleugne sich selbst und nehme sein Kreuz auf sich und so folge er mir nach" (Mk-Tradition Mk 8,34; Mt 16,24; Lk 9,23). Die Verheißung, das verlorene Leben zu gewinnen, gilt in diesem Zusammenhang den Nachfolgern Jesu, die der zelotischen Verdächtigung und Strafe ausgesetzt sind. „Nur ein Vorurteil kann es für geschichtlich unmöglich halten, daß Jesus in einer Zeit, da die römischen Kreuze in Palästina wie Bäume aus dem Boden wuchsen und in der Messiaserwartung an ihn herangetragen wurden, die Martyriumsbereitschaft ... Nachfolgewilligen als einzukalkulierende Möglichkeit hingestellt hat" (H. Schürmann)[189]. Es bleibt historisch denkbar, daß Jesus selbst das Nachfolgewort gespro-

---

[186] Die Kommentare und Monographien zur Stelle weisen bes. auf Tamid 66a (Bill I 587f) und EpiktDiss IV 1,163-165, hin; vgl. dazu vor allem H. Braun, Das „Stirb und werde" in der Antike und im Neuen Testament, in: Libertas Christiana (BEvTh 26) München 1957,9-29, = in: Gesammelte Studien zum Neuen Testament und seiner Umwelt, Tübingen ³1971, 136-148; H. Schürmann, Das Lukasevangelium. Erster Teil (HThK III 1) Freiburg – Basel – Wien 1969, 545.

[187] Für unecht hält das Logion z.B. E. Haenchen, Der Weg Jesu, Berlin ²1968, 297f; ders., Die Komposition von Mk VII 27-IX 1 und Par: NT 6 (1963) (81-109) 93. Braun, 11f, mahnt zur Vorsicht in dieser Frage. Für die Echtheit treten z.B. ein R. Bultmann, Die Geschichte der synoptischen Tradition (FRLANT 29) Göttingen ³1957, 110; Dautzenberg, Leben 77f; Schürmann, Lukasevangelium 545.

[188] Schürmann, Fschr Schmid 339.

[189] Lukasevangelium 542f. Zur Aufnahme zelotischer Redeweise vgl. Hengel. Zeloten 266.

chen[190] und mit der allgemeinen Märtyrersentenz vom Erringen des Lebens durch das Sterben verbunden hat. Dann dürfte er sich selbst kaum von dieser Märtyrererwartung auf das postmortale himmlische Leben ausgeschlossen haben.

Die in vielfachen Variationen überlieferte offene Leidens- und Auferstehungsweissagung Jesu, die solche Auferstehungserwartung nach dem Märtyrertod des leidenden und sterbenden Gerechten direkt ausspricht, steht in einer großen Diskussion[191]. Nach dem allgemeinen Konsensus ist für die meisten Texte der Verdacht eines vaticinium ex eventu, d. h. einer Gestaltung nach der vorausgehenden Passions- und Osterüberlieferung, nicht abzuweisen. Am Anfang des langen Traditionsprozesses mag ein Archetyp gestanden haben, der in Mk 9,31 par am ehesten greifbar wird. Es sprechen viele kritische Exegeten dafür, den Anfang dieses Rätselspruchs auf Jesus selbst zurückzuführen[192]: „Der Sohn des Menschen wird in die Hände der Menschen überliefert". Einig ist man sich darin, daß das in der Fortsetzung erkennbare Kontrastschema[193] auf eine ältere urgemeindliche Deutung des Weges Jesu zurückgeht: „Und sie werden ihn töten. Doch getötet wird er (nach drei Tagen) auferstehen". Für die Möglichkeit einer nachträglichen Erweiterung des Jesus-Maschal Mk 9,31 lassen sich stilistische Argumente anführen[194], die unseres Erachtens aber nicht durchschlagend sind. Die Drei-Tage-Formel geht keineswegs auf die Kenntnis der Osterberichte zurück, sondern deutet nach jüdischer Tradition einen äußerst kurzen Zeitraum mit der Wende

---

[190] *Haenchen,* NT 6,81-109, hält den Text Mk 8,34-37 für eine Komposition des Evangelisten.

[191] Zur traditionsgeschichtlichen Frage s. *Pesch,* Fschr *Vögtle* (o. Anm. 168) 166-195. Zur Diskussion vgl. die in Anm. 168.170.179 angegebene Literatur als Beispiel.

[192] Vgl. z. B. *E. Schweizer,* Das Evangelium nach Markus (NTD I) Göttingen [11]1967, 108; *Jeremias,* Theologie 267f; *Grundmann,* Das Evangelium nach Lukas 257f; *Goppelt,* Theologie 236f; *Pesch,* aaO. 176-182.190.192.195 mit Hinweis auf Mk 14,62 als Parallele.

[193] Vgl. Apg 2,22f; 3,13-15; 4,10; 5,30; 10,40; dazu *Pesch,* aaO. 172, mit weiteren Hinweisen.

[194] Vgl. im einzelnen dazu *Hoffmann,* Fschr Schmid, 172, der für Mk 8,31 als älterem Text plädiert.

zum Heil an[195]. Man wird den Verdacht nicht los, daß Mk 9,31b deshalb nicht für authentisch gehalten werden kann, weil Jesus nicht von seiner Auferstehung gesprochen haben darf. Der Religionsgeschichtler, der das Selbstverständnis eines Märtyrers für Jesus von Nazareth erhebt, wird sich kaum mit einer solchen Entscheidung abfinden. Sollte der Märtyrer Jesus von Nazareth weniger für sich erwartet haben als die makkabäischen Brüder? Man kann natürlich als Argument gegen eine solche Frage anführen, daß nach der Osterüberlieferung die Jünger Jesu mit dessen Auferstehung nicht gerechnet haben. Erst das Widerfahrnis der Erscheinungen führte sie zum Rückschluß auf die Auferstehung, die es als himmlische Erhöhung des Gekreuzigten zu interpretieren galt[196]. Das begrenzte Thema unserer

---

[195] Zur Drei-Tage-Formel vgl. *K. Lehmann,* Auferweckt am dritten Tag nach der Schrift (QD 38) Freiburg – Basel – Wien 1968, 263; *J. Jeremias,* Die Drei-Tage-Worte der Evangelien, in: Tradition und Glaube, Fschr F. G. Kuhn, Göttingen 1971 (221-229) 228f; *Berger,* Auferstehung 109; 369 Anm. 480.

[196] Wir nähern uns mit diesen Fragen und Vermutungen einem Teilergebnis der Habilitationsschrift von *K. Berger,* Die Auferstehung des Propheten und die Erhöhung des Menschensohnes, Hamburg 1972, jetzt in StUNT 13, Göttingen 1976; vgl. dazu auch das Referat bei *U. Wilckens,* Auferstehung, Stuttgart – Berlin 1970, 132-144, und die Weiterführung von *R. Pesch,* Zur Entstehung des Glaubens an die Auferstehung Jesu: ThQ 153 (1973) 201-228.
Berger fragt nach dem Standort des ntl Bekenntnisses zur Auferstehung Jesu im Horizont antiker jüdischer Denkvoraussetzungen. Er findet eine Analogie zu der von ihm herausgearbeiteten jüdischen Tradition vom Tod und von der vor-endzeitlichen Auferstehung der wiederkehrenden Propheten Elia und Henoch. Die apokalyptische Erwartung der Auferstehung von Märtyrerpropheten sieht er angezeigt in Offb 11, einem Text, der auf vorchristliche Überlieferung zurückgehe, in dem Mk 6,14-16 zugrundeliegenden Volksglauben und in einer überwältigenden Fülle christlich apokrypher Apokalypsen, die auf jüdische Überlieferung zurückgriffen. Die hier zu ermittelnde Auferstehungsvorstellung hat nach Berger folgende Aussageintention: „Gottes letzter Gesandter wird getötet werden, Gott wird diesen aber aus dem Tode retten, nämlich seine Macht in dessen Auferstehung zeigen und so allen Streit um die wahre Gottesverehrung beenden" (142). *Berger* zeigt auch die besondere Parallelvorstellung einer himmlischen Auferstehung der Märtyrer auf, ohne die verwandten Traditionen (113) genügend auseinanderzuhalten. Es ist hier nicht der Ort einer umfassenden Kritik an der Studie, die allen Respekt

Untersuchung erlaubt keine ausführliche Diskussion dieser Rekonstruktion. Wir möchten damit rechnen, *daß nicht im Faktum der Auferstehung, sondern in der wiederholten Erscheinung das Überraschende für die*

---

verdient; zur Kritik vgl. ThQ 153 (1973) 3. Heft; *E. Schweizer*, ThLZ 103 (1978) 874-878. Wir vermissen in Blick auf unsere Frage eine saubere Unterscheidung beider Auferstehungskonzeptionen, die bei Beachtung des unterschiedlichen Alters der herangezogenen Texte möglich gewesen wäre. Die Quellen *Bergers* datieren alle sehr spät; vgl. *M. Hengel*, Ist der Osterglaube noch zu retten: ThQ 153 (1973) 252-269. Die *älteren Texte belegen* die Vorstellung einer *postmortalen himmlischen Auferstehung der Märtyrer*. Es bleibt unsere Frage an Berger, wieweit und ob überhaupt die Erwartung einer vorendzeitlichen irdischen Märtyrerauferstehung vorchristlich ist. Die ntl Texte erscheinen uns für die These suspekt. In Mk 6,14-16 wird auf Volksaberglaube angespielt; Offb 11 läßt sich als bewußte Parallelisierung zum Christusgeschehen viel besser verstehen; vgl. *R. Bauckham*, The Martyrdom of Enoch and Elijah: Jewish or Christian?: JBL 95 (1976) 447-458. Die methodenkritische Frage *Bergers*, daß kein Interesse der Urgemeinde an solcher Parallelisierung erkennbar sei (142), verfängt nicht. Zudem erleiden Henoch und Elia nach älterer jüdischer Tradition nicht den Märtyrertod, sondern umgehen ihn durch ihre Entrückung.

Pesch (s.o.) nimmt die Ergebnisse *Bergers* auf und stellt die historische Frage, in der Berger (235) zurückhaltend ist. Jesu Verkündigung hat nach Pesch bei den Jüngern nach Karfreitag solche postmortalen Vorstellungen in Blick auf ihren sich selbst als Elia redivivus verstehenden Lehrer erweckt: „Wenn sich Jesus selbst als den maßgeblichen Boten Jahwes, den Bringer der Gottesherrschaft verstand . . . und von seinen Jüngern als der (prophetische) Messias eingeschätzt wurde (Mk 8,27-30), so konnten seine Jünger angesichts seines Kreuzestodes seine die Erwartung der Tradition erfüllende und überbietende eschatologische Sendung und Heilsbedeutung proklamieren mit der Botschaft: Er ist auferweckt" (ThQ 153, 225). Die Rede von der Auferstehung Jesu ist nach *Pesch* „Ausdruck des gläubigen Bekenntnisses zur eschatologischen Bedeutung Jesu, seiner Sendung und Autorität, seiner göttlichen Legitimation angesichts des Todes" (226). Läßt man sich trotz der scharfen Kritik, die *Pesch* erfuhr (vgl. ThQ 153, 3. Heft), auf dessen Ansatz ein, im prophetischen Selbst- und Sendungsbewußtsein des irdischen Jesus den Anstoß für die Entstehung des Osterglaubens der Jünger zu suchen, so bleibt die Frage, warum Jesus nicht selbst seinen Tod durch die Hoffnung auf Auferstehung transzendiert haben soll, wenn die Jünger aufgrund der allgemeinen jüdischen Endzeiterwartung zwangsläufig darauf kommen mußten.

Jünger lag. Denn durch dieses Phänomen[197] wird die Märtyrertheologie und -hoffnung durchbrochen[198]. Hier galt es andere christologische Interpretamente zu entwickeln, wie sie zum Beispiel aus der Verkündigung des irdischen Jesus vom Menschensohn nahelagen. Doch hier stößt die Studie eines Alttestamentlers an ihre Grenzen. Sie will mit dem Hinweis auf die Traditionsgeschichte des Auferstehungsgedankens von 2 Makk 7 nur das religionsgeschichtliche Material an die Hand geben, das bei der Frage, ob Jesus von seiner Auferstehung gesprochen hat, vom Neutestamentler nicht außer Acht gelassen werden sollte.

---

[197] Wie auch durch die Botschaft vom leeren Grab.

[198] Nach TestBenj 10,6 wird zwar das Erscheinen (τότε ὄψεσθε) der in den Himmel zur Rechten Gottes auferstandenen (ἀνισταμένους) Gerechten Henoch, Noah, Sem, Abraham, Isaak und Jakob angekündigt, wie auch die Verklärungsgeschichten die Erscheinung himmlischer Gerechter voraussetzt, doch hier handelt es sich weder um Märtyrer, noch löst die Erscheinung mit dem Osterglauben vergleichbare Folgerungen und Reaktionen aus. Der Topos des Erscheinens gehört zur Menschensohnerwartung und nicht in die Märtyrertheologie.

Literatur zu 2 Makk 7

Das Literaturverzeichnis enthält die zu 2 Makk 7 benutzte Literatur in vollem Umfang. Andere Werke sind nur aufgeführt, wenn sie mehrfach erwähnt wurden. Die Abkürzungen erfolgen nach S. Schwertner, Internationales Abkürzungsverzeichnis für Theologie und Grenzgebiete, Berlin-New-York 1974.

Abel F.M., Les livres des Maccabées (EtB) Paris [2]1949.

Albertz R., Weltschöpfung und Menschenschöpfung (CThM 3) Stuttgart 1974.

Arenhoevel D., Die Hoffnung auf die Auferstehung: BiLe 5 (1964) 36-42.

– Die Theokratie nach dem 1. und 2. Makkabäerbuch (WSMA.T 3) Mainz 1967.

Bacher W., Jüdische Märtyrer im christlichen Kalender: JJGL 4 (1901) 70-85.

Bammel E., Zum jüdischen Märtyrerkult: ThLZ 78 (1953) 119-126.

Baumeister Th., Martyr Invictus (FVK 46) Münster 1972.

Beutler J., Martyria (FTS 10) Frankfurt 1972.

Bévenot H., Die beiden Makkabäerbücher (HSAT IV/4) Bonn 1931.

Bickermann E., Der Gott der Makkabäer, Berlin 1937.

– The Date of Fourth Maccabees, in: Louis Ginzberg Jubilee Volume, New York 1945, 105-112, in: Studies in Jewish and Christian History, Leiden 1976, 275-281.

– Les Maccabées de Malalas: Byz. 21 (1951) 63-83.

Bietenhard H., Die himmlische Welt im Urchristentum und Spätjudentum (WUNT 2) Tübingen 1951.

Billerbeck P., Kommentar zum Neuen Testament aus Talmud und Midrasch von H. L. Strack und P. Billerbeck, 6 Bde, München 1926ff (Bill).

Blass F. - Debrunner A., Grammatik des neutestamentlichen Griechisch, Göttingen [11]1961 (BlDebr).

Bousset W. - Gressmann H., Die Religion des Judentums im späthellenistischen Zeitalter (HNT XXI) Tübingen [4]1966.

Brox N., Zeuge und Märtyrer. Untersuchungen zur frühchristlichen Zeugnis-Terminologie (StANT 5) München 1961.

Bückers H., Die Makkabäerbücher. Das Buch Job (HBK V) Freiburg i.Br. 1939.

– Das „Ewige Leben" in 2 Makk 7,36: Bibl 21 (1940) 406-412.

Bunge J. G., Untersuchungen zum zweiten Makkabäerbuch. Quellenkritische, literarische, chronologische und historische Untersuchungen zum zweiten Makkabäerbuch als Quelle syrisch-palästinensischer Geschichte im 2. Jh. v. Chr., Diss. Bonn 1971.

v. Campenhausen H., Die Idee des Martyriums in der alten Kirche, Göttingen [2]1964.

Cavallin H. C. C., Life After Death. Paul's Argument for the Resurrection of the Dead in I Cor 15. Part I. An Enquiry into the Jewish Background (CB.NT VII/1) Lund 1974.

Dautzenberg G., Sein Leben bewahren (StANT 14) München 1966.

Dèlehaye H., Les origines du culte des martyrs (SHG 20) Brüssel (1912) [2]1933.

– Les passions des martyrs et les genres littéraires (SHG 13 B) Brüssel 1921.

Downey G., A History of Antioch in Syria from Seleucus to the Arab Conquest, Princeton 1961.

Dupont-Sommer A., Le quatrième livre des Machabées, Paris 1939.

Ehrhardt A., Creatio ex Nihilo: StTh IV/1, 1950 (1951), 13-43.

Fishel A., Martyr and Prophet: JQR NF 37 (1946f) 265-280. 363-386.

Fichtner J., Weisheit Salomos (HAT II/6) Tübingen 1938.

Flusser D., Das jüdische Martyrium im Zeitalter des Zweiten Tempels und die Christologie: FrRu 25 (1973) 187-194.

Frend W. H. C., Martyrdom and Persecution in the Early Church, Oxford 1965.

Giamil S., Autenticità ed antichità dei nomi dei VII martiri Maccabei: Bess. II 1 (1901/2) 448-450.

Gil L., Sobre el estilo del Libro Secundo de los Macabeos: EM. 26 (1958) 11-32.

Grimm C. L. W., Das zweite, dritte und vierte Buch der Maccabäer (KEH zu den Apokryphen des Alten Testaments IV) Leipzig 1857.

Günther E., ΜΑΡΤΥΣ. Die Geschichte eines Wortes, Gütersloh 1941.

Gut(t)man(n) J., Die Mutter und die sieben Söhne in der Haggada und in dem 2. und 4. Makkabäerbuch (hebr.), in: Commentationes Judaico-Hellenisticae in Memoriam Johannis Lewy, Jerusalem 1949, 25-37 (36-7).

Habicht Ch., 2. Makkabäerbuch (JSHRZ I/3) Gütersloh 1976.

Hadas M., The Third and Fourth Books of Maccabees: (JAL) New York 1953.

Hanhart R., Maccabaeorum liber II copiis usus quas reliquit W. Kappler edidit R. Hanhart. Septuaginta IX/2, Göttingen [2]1976.

– Zum Text des 2. und 3. Makkabäerbuches. Probleme der Überlieferung, der Auslegung und der Ausgabe, NAWG.PH 1961, 427-487.

Hengel M., Die Zeloten (AGSU 1) Leiden-Köln 1961 ([2]1976)

– Judentum und Hellenismus (WUNT 10) Tübingen 1969 ([2]1973).

Hirschfeld H., Jewish Arabic Liturgies: JQR 6 (1894) 119-135.

Hoffmann P., Die Toten in Christus (NTA NF 2) Münster [2]1969.

Jeremias, J., Die Makkabäerkirche in Antiochia: ZNW 40 (1941) 254f.

– Neutestamentliche Theologie. 1. Teil. Die Verkündigung Jesu, Gütersloh 1971.

Katz P., The Text of 2 Maccabees Reconsidered: ZNW 51, (1960) 10-30.

Kautzsch E., (Hrsg.) Die Apokryphen und Pseudepigraphen des Alten Testaments, 2 Bde, Tübingen [2]1921 (Darmstadt [3]1962).

Kellermann U., Überwindung des Todesgeschicks in der alttestamentlichen Frömmigkeit vor und neben dem Auferstehungsglauben: ZThK 73 (1976) 259-282.

Klauser Th., Christlicher Märtyrerkult, heidnischer Heroenkult und spätjüdi-

sche Heiligenverehrung. Neue Einsichten und neue Probleme, in: Arbeits-
gemeinschaft für Forschung des Landes Nordrhein-Westfalen (Geisteswis-
senschaftliche Reihe 91) Köln – Opladen 1960, 27-38.

Knabenbauer J., Commentarius in duos libros Machabaeorum (CSS I/9) Paris
1907.

Knopf R. - Krüger G., (Hrsg.) Ausgewählte Märtyrerakten (SQS NF 3) Tübingen 1929.

Lebram J. C. H., Die literarische Form des vierten Makkabäerbuches: VigChr
28 (1974) 81-96.

– König Antiochus im Buch Daniel: VT 25 (1975) 737-772.

Levi I., Le martyre des Sept Macchabées dans la Pesikta Rabbati, REJ 54 (1907)
138-141.

Loftus F., The Martyrdom of the Galilean Troglodytes (B.J. i 312-3; A.XiV
429-30): JQR 66 (1976) 212-223.

Lohse E., Märtyrer und Gottesknecht (FRLANT 64) Göttingen ²1963.

Lohmeyer E., Die Idee des Martyriums im Judentum und Urchristentum: ZSTh
5 (1928) 232-249.

Maas M., Die Maccabäer als christliche Heilige: MGWJ 44 (1900) 145-156.

Marchel W., De resurrectione et de retributione statim post mortem secundum
2 Mach comparandum cum 4 Mach: VD 34 (1956) 327-341.

Meyer R., Hellenistisches in der rabbinischen Anthropologie (BWANT 74)
Stuttgart 1937.

Michel O., Zum „Märtyrer"-Problem: ThBl 17 (1938) 87-90.

– *Bauernfeind O.,* (Übers. und Herausg.), Flavius Josephus – De Bello Ju-
daico. Der jüdische Krieg, 4 Bde, Darmstadt 1959-1969.

Nauck W., Freude im Leiden. Zum Problem einer urchristlichen Verfolgungstradition: ZNW 46 (1955) 68-80.

Nickelsburg G. W. E., 1 and 2 Maccabees – Same Story, Different Meaning:
CTM 42 (1971) 515-526.

– Resurrection, Immortality, and Eternal Life in Intertestamental Judaism
(HThS 26) Cambridge 1972.

Obermann J., The Sepulchre of the Maccabean Martyrs: JBL 50 (1931) 250-265.

Pax E., „Ich gebe hin meinen Leib und mein Glück". Eine Lesart zu 2 Makk
7,37: SBFLA 17 (1965/6) 357-368.

Perler O., Das vierte Makkabaeerbuch, Ignatius von Antiochien und die aelte-
sten Martyrerberichte: RivAC 25 (1949) 47-72.

Philo., Philo von Alexandria. Die Werke in deutscher Übersetzung, hrsg. von
L. Cohn, I. Heinemann, M. Adler und W. Theiler, 7 Bde, Berlin ²1962-1964.

Pollard T. E., Martyrdom and Resurrection in the New Testament: BJRL 55
(1972/3) 240-251.

Rampolla da Tindaro M. Kard., Del luogo del martirio e sepolcro dei Maccabei:
Bess. 1 (1896/7) 655-662. 751-763. 853-866; 2 (1897/8) 9-22, = Martyre et
sépulture des Machabées: RArtC 48 (1899) 290-305. 377-392. 457-465.

Reese G., Die Geschichte Israels in der Auffassung des frühen Judentums, Diss.

Heidelberg 1967.

Ronconi A., Exitus illustrium virorum, in: RAC VI 1258-1268.

Ruppert L., Der leidende Gerechte. Eine motivgeschichtliche Untersuchung zum Alten Testament und zwischentestamentlichen Judentum (Forschung zur Bibel 5) Würzburg 1972.

– Jesus als der leidende Gerechte? Der Weg Jesu im Lichte eines alttestamentlichen und zwischentestamentlichen Motivs (SBS 59) Stuttgart 1972.

Schatkin M., The Maccabean Martyrs: VigChr 28 (1974) 97-113.

Schlatter A., Der Märtyrer in den Anfängen der Kirche (BFChTh XIX/3) Gütersloh 1915.

Schmitt A., Entrückung-Aufnahme-Himmelfahrt. Untersuchungen zu einem Vorstellungsbereich im Alten Testament (Forschung zur Bibel 10) Stuttgart 1973.

Schmuttermayr G., Schöpfung aus Nichts in 2 Makk 7,28?: BZ NS 1 7(1973) 203-228.

Scholem G., Schöpfung aus Nichts und Selbstverschränkung Gottes: ErJb 25 (1956) 87-119, = in: Über einige Grundbegriffe des Judentums, Frankfurt a.M. [2]1976, 53-89.

Schunk K. D., Die Quellen des I. und II. Makkabäerbuches, Halle 1954.

Schwantes H., Schöpfung der Endzeit (AzTh I/12) Stuttgart 1963.

Simon M., Les saints d'Israël dans la dévotion de l'église ancienne: RHPhR 34 (1954) 98-127.

Stauffer E., Die Theologie des Neuen Testaments, Gütersloh [4]1948.

Stemberger G., Der Leib der Auferstehung. Studien zur Anthropologie und Eschatologie des palästinischen Judentums im neutestamentlichen Zeitalter (ca. 170 v.Chr.-100 n.Chr.) (AnBib 56) Rom 1972.

Stendebach F. J., Das Schweineopfer im Alten Orient: BZ NS 18 (1974) 263-271.

Surkau H. W., Martyrien in jüdischer und frühchristlicher Zeit (FRLANT 54) Göttingen 1938.

Volz P., Die Eschatologie der jüdischen Gemeinde im neutestamentlichen Zeitalter, Tübingen 1934 (Nachdr. Hildesheim 1966).

Wächter L., Der Tod im Alten Testament (AzTh II 8) Stuttgart 1967.

Weiss H. F., Untersuchungen zur Kosmologie des Hellenistischen und Palästinischen Judentums (TU 97) Berlin 1966.

Wied G., Der Auferstehungsglaube des späten Israel in seiner Bedeutung für das Verhältnis von Apokalyptik und Weisheit, Diss. Bonn 1967.

Zeitlin S., The Names Hebrew, Jew and Israel: JQR 43 (1952/3) 365-379.

– The Second Book of Maccabees, engl. Übers. von S. Tedesche (JAL) New York 1954.

Abkürzungshinweise

für alttestamentliche, jüdische neutestamentliche und frühchristliche
Schriften

1. Biblische Bücher

1.1 Altes Testament

Gen	Genesis (1. Buch Mose)
Ex	Exodus (2. Buch Mose)
Lev	Leviticus (3. Buch Mose)
Num	Numeri (4. Buch Mose)
Dtn	Deuteronomium (5. Buch Mose)
Jos	Josua
Ri	Richter
Rut	Rut
1 Sam	1. Samuelbuch
2 Sam	2. Samuelbuch
1 Kön	1. Buch der Könige
2 Kön	2. Buch der Könige
1 Chr	1. Buch der Chronik
2 Chr	2. Buch der Chronik
Esr	Esra
Neh	Nehemia
Tob	Tobit
Jdt	Judit
Est	Esther
1 Makk	1. Makkabäerbuch
2 Makk	2. Makkabäerbuch
Ijob	Ijob (Hiob)
Ps	Psalmen
Spr	Sprüche Salomos
Koh	Kohelet (Prediger Salomos)
Hld	Hoheslied Salomos
Weish	Weisheit Salomos
Sir	Jesus Sirach
Jes	Jesaja
Klgl	Klagelieder Jeremias
Bar	Baruch
Ez	Ezechiel
Dan	Daniel

Hos	Hosea
Joel	Joel
Am	Amos
Obd	Obadja
Jona	Jona
Mi	Micha
Nah	Nahum
Hab	Habakuk
Zef	Zefanja
Hag	Haggai
Sach	Sacharja
Mal	Maleachi

1.2 Neues Testament

Mt	Matthäusevangelium
Mk	Markusevangelium
Lk	Lukasevangelium
Joh	Johannesevangelium
Apg	Apostelgeschichte des Lukas
Röm	Römerbrief
1 Kor	1. Korintherbrief
2 Kor	2. Korintherbrief
Gal	Galaterbrief
Eph	Epheserbrief
Phil	Philipperbrief
Kol	Kolosserbrief
1 Thess	1. Thessalonicherbrief
2 Thess	2. Thessalonicherbrief
1 Tim	1. Timotheusbrief
2 Tim	2. Timotheusbrief
Tit	Titusbrief
Phlm	Philemonbrief
Hebr	Hebräerbrief
Jak	Jakobusbrief
1 Petr	1. Petrusbrief
2 Petr	2. Petrusbrief
1 Joh	1. Johannesbrief
2 Joh	2. Johannesbrief
3 Joh	3. Johannesbrief
Jud	Judasbrief
Offb	Offenbarung des Johannes

2. Pseudepigraphen zum Alten Testament und andere frühjüdische Schriften

ApkEsr	Esraapokalypse
ApkMos	Moseapokalypse
Arist	Aristeasbrief
AscIs	Ascensio Isaia (Himmelfahrt des Jesaja)
AssMos	Assumptio Mosis (Himmelfahrt des Mose)
grBar	griechische Baruchapokalypse
syrBar	syrische Baruchapokalypse
3Esd	3. Esdrasbuch
4Esd	4. Esdrasbuch
aethHen	äthiopisches Henochbuch
slavHen	slawisches Henochbuch
JosAs	Joseph und Asenet
Jub	Jubiläenbuch
3M	3. Makkabäerbuch
4M	4. Makkabäerbuch
PsSal	Psalmen Salomos
Pseudophilo LAB	Pseudophilo liber antiquitatum biblicarum (Buch biblischer Altertümer)
Sib	Sibylle
TestAbr	Testament des Abraham
TestIsaak	Testament des Isaak
TestIob	Testament des Hiob
Test XII	Testament der 12 Patriarchen
TestAs	Testament des Aser
TestBenj	Benjamin
TestDan	Dan
TestGad	Gad
TestJos	Joseph
TestIss	Issaschar
TestJud	Juda
TestLev	Levi
TestNapht	Naphtali
TestRub	Ruben
TestSim	Simeon
TestZab	Zabulon (Sebulon)
VitA	Vita Adae et Evae (Leben Adams und Evas)

3. Qumrantexte

GenAp	Gensisapokryphon
4QpsDan	Danielfragment Höhle 4

1QH	Hodajot (Loblieder)
1QM	Kriegsrolle
1QS	Gemeinderegel (Sektenkanon)
1QSb	Segenssprüche

4. Philo von Alexandria

Abr	de Abrahamo
All	legum allegoriae
Cher	de Cherubim
Congr	de congregatione eruditionis gratia
Contempl	de vita contemplativa
Decal	de decalogo
Det	quod deterius potiori insidiari soleat
Ebr	de ebrietate
Flacc	in Flaccum
Fug	de fuga et inventione
Gai	legatio ad Gaium
Gig	de gigantibus
Her	quis rerum divinarum heres
Imm	quod deus sit immutabilis
Jos	de Josepho
Migr	de migratione Abrahami
Mos	de vita Mosis
Op	de opificio mundi
Praem	de praemiis et poenis
Prob	quod omnis probus liber sit
Prov	de providentia
Sobr	de sobrietate
Somn	de somniis
Spec	de specialibus legibus
Virt	de virtutibus

5. Josephus

Ant	Antiquitates (Jüdische Altertümer)
Ap	contra Apionem (gegen Apio)
Bell	de bello Judaico (Jüdischer Krieg)

6. Rabbinische Texte (Traktate aus Mischna, Talmud und Tosefta)

BB	Baba Bathra
Ber	Berakoth
Chag	Chagiga

Git	Gittin
Kallah	Kallah (außerkanonisch)
Men	Menachoth
Sanh	Sanhedrin
AZ	'Aboda Zara
Pea	Pea
Schab	Schabbath
Sem	Semachoth
Sota	Sota

7. *Apostolische Väter*

Barn	Barnabasbrief
1 Clem	1. Clemensbrief
2 Clem	2. Clemensbrief
Hermmand	Hermas mandata
Hermsim	Hermas similitudines
Hermvis	Hermas visiones
IgnEph	Ignatius Brief an die Epheser
IgnMagn	Magnesier
IgnRöm	Römer
IgnSm	Smyrnäer
IgnTrall	Trallianer
IgnPol	an Polykarp

8. *Altkirchliche Märtyrerakten und Pseudepigraphen zum Neuen Testament*

ActAc	Akten des Acacius
ActClaud	Akten des Claudius, Asterius und Gefährten
ActCarp	Akten des Carpus, Papylus und der Agathonike
MartCon	Martyrium des Conon
MartDas	Martyrium des Dasius
ActEupl	Akten des Euplus
ActFruct	Akten des Fructuosus
MartIren	Martyrium des Irenäus
ActJul	Akten des Julius
ActJust	Akten des Justin und seiner Gefährten
MartJust	Martyrium des Justin
MartLugd	Martyrium der Lugdunenser
PassMarcell	Martyrium des Marcellus
MartMarian	Martyrium des Marianus und Jacobus
ActMax	Akten des Maximus
MartMatth	Martyrium des Matthäus (ntl Pseudepigr.)

MartPaul	Martyrium des Paulus (ntl Pseudepigr.)
PassPepp	Martyrium der Perpetua und Felicitas
ActPetr et Andr	Akten des Petrus und Andreas (ntl Pseudepigr.)
ApkPetr	Petrusapokalypse (ntl Pseudepigr.)
PassPetr et Pl	Passion des Petrus und Paulus (ntl Pseudepigr.)
Act Phil	Akten des Philoremus
MartPion	Martyrium des Pionius
ActPil	Pilatusakten (ntl Pseudepigr.)
MartPol	Martyrium des Polykarp
PassScil	Martyrium der Scilitaner

9. *Altkirchliche Schriftsteller*

ConstAp	Apostolische Konstitutionen
Cypr AdFort	Cyprian Ad Fortunatum (An Fortunatus)
DeLaps	De Lapsis (Über die Gefallenen)
Ep	Epistulae (Briefe)
Euseb HE	Eusebius Historiae ecclesiae (Kirchengeschichte des Euseb)
JustDial	Justin Dialog
SyrDidask	Syrische Didaskalie
Tertullian De resurr	Tertullian De resurrectione (Über die Auferstehung)
Scorp	Scorpiace

Register wichtiger Texte

(die Stellen mit umfangreicheren Exegesen sind in halbfett angegeben)

2. PSEUDEPIGRAPHEN ZUM ALTEN TESTAMENT UND ANDERE FRÜHJÜDISCHE SCHRIFTEN

AscIs
5,7   *38A*
5,8   *37A*
5,9   *37A*
5,12   *35A*
5,14   *36A*

AssMos
9,1-7   *19A.59A.***94f.***97A*
9,6f   *12A.20.37A*
10,8-10   *83.95*

syrBar
51,10   *10A.83*

4Esd
7,28f   *126*
7,31-35   *10A*

aethHen
51,1-3   *10A*
82,2-4   *68A*

aeth Hen
90,8   *87*
90,33   *10A.81*
104,2   *82.118*

Jub
23,23-29.30f   **100ff**

4M
4,26   *15*
5,37f   *38A.96*
7,19   *96*
8,14.27   *97*
9,8   *36A.37A.96*
9,23f   *12.36A.37A*
10,18f   *24.37A.38A*
12,13   *70*
14,5f   *96*
16,25   *96*
17,4f   *83*
17,5   *96*
17,10   *121*
17,11-13   *19A.96*

4 M
17,18   *96*
17,21f   *12*
18,4   *12*
18,23   *96*

PsSal
3,10-12   *67*

Sib
3,69   *16A*
4,180   *10A*
5,161.258   *16A*

TestBenj
10,6   *64.142A*
10,7f   *10A*

TestNapht
10   *29A*

TestIjob
4,9f   *64f*
41,4   *65*

4. PHILO VON ALEXANDRIA

Cher 115   *65*
Det 176   *47*
Mos II 100   *68.74A*
Prob 25   *47f*
106-109   *36A.37A.47f*
Prov II 10f   *36A.37A.47.48*
Spec I 294   *70*

5. JOSEPHUS

Ant VII 415-419   *106*
341-357   *106*
XII 253ff   *15A.25A*
XIV 429f   *96*

Ant XVII 149-154   *104f*
XVIII 14   *64*
XVIII 23f   *22A.36A*

Ap
218f   *20A.106*

Bell
I 34   *15A.20A*
I 312f   *96.20A*
I 648-655   *20A.36A.104f*
II 152-155   *24A.36A.37A.***105f**
VI 47f   *91*
VII 43-45   *58*
VII 341-357   *106*
VII 417ff   *36A.37A.59.97.106*

155

Einheitsübersetzung der Heiligen Schrift

Das Neue Testament

☐ Endgültige Fassung

☐ Ökumenischer Text

☐ Mit Einführungen und Anmerkungen

☐ Erscheint Ende September 1979

Herausgegeben im Auftrag der Bischöfe Deutschlands, Österreichs,
der Schweiz, der Bischöfe von Bozen-Brixen, Lüttich und Luxemburg,
des Rats der Evangelischen Kirche in Deutschland und des Evangelischen Bibelwerks
ca. 560 Seiten, Plastikausgabe: ISBN 3-920609-17-4; Balacronaus-
gabe: ISBN 3-920609-18-2

Einheitsübersetzung der Heiligen Schrift

Das Alte Testament

☐ Endgültige Fassung

☐ Mit Einführungen und Anmerkungen

☐ Erscheint Anfang 1980

Herausgegeben im Auftrag der Bischöfe Deutschlands, Österreichs,
der Schweiz, der Bischöfe von Bozen-Brixen, Lüttich und Luxemburg
ca. 1920 Seiten, Plastikausgabe 29,80 DM: ISBN 3-920609-19-0

Ein bedeutsames Ereignis stellen diese Ausgaben der Einheitsübersetzung dar. Nach rund 18-jähriger Arbeit von über 100 Fachleuten
der Bibelwissenschaft, der Liturgie, der Katechetik und der deutschen Sprache approbierten die Bischöfe der deutschsprachigen
Länder Europas den Text dieser Übersetzung endgültig für den
Gebrauch in Liturgie und Schule. Die Übersetzung ist aus den
Urtexten geschaffen und beachtet sorgfältig die Regeln der heute
gesprochenen deutschen Sprache.

Katholische Bibelanstalt GmbH,
Stuttgart

Auslieferung: Verlag Katholisches Bibelwerk GmbH,
Silberburgstraße 121 A, 7000 Stuttgart 1

Stuttgarter Biblische Beiträge (SBB)

Wissenschaftliche Untersuchungen biblischer Fragen. Ihre Autoren sind anerkannte Fachwissenschaftler, die Beiträge zur exegetischen Diskussion bieten oder Forschungsergebnisse zusammenfassen.

Zuletzt erschienen folgende Titel:

Verlag Katholisches Bibelwerk GmbH, Stuttgart